Guía de
VALORES
para la
FAMILIA

Guía de VALORES para la FAMILIA

J. P. Morales

Grupo Editorial Tomo S.A. de C.V.,
Nicolás San Juan 1043,
México, D.F.

1a. edición, abril 2011.

©   *Guía de valores para la familia*
Juan Pablo Morales Anguiano

©   2011, Grupo Editorial Tomo, S.A. de C.V.
Nicolás San Juan 1043, Col. Del Valle
03100 México, D.F.
Tels. 5575-6615, 5575-8701 y 5575-0186
Fax. 5575-6695
http://www.grupotomo.com.mx
ISBN-13: 978-607-415-266-1
Miembro de la Cámara Nacional
de la Industria Editorial No 2961

Diseño de portada: Karla Silva
Formación tipográfica: Tato Garibay
Imágenes: Kevin Daniels
Supervisor de producción: Leonardo Figueroa

Impreso en México - *Printed in Mexico*

PRÓLOGO

Si usted está leyendo este libro, seguramente se ha percatado de la profunda y triste crisis de valores en la cual nos encontramos como raza, lo cual no es difícil de percibir, ya que si observamos a nuestro alrededor, podemos percatarnos de las señales de cambios importantes que terminarán por afectar a la sociedad, y por lo tanto, a nuestra familia en muy poco tiempo.

La modernidad ha sido una importante causa para el deterioro moral de la humanidad; en estos tiempos en los que las telecomunicaciones y el internet parecen haber alcanzado al futuro, y que cosas que parecían imposibles se han cumplido como es el caso de la caída del comunismo y la rueda de la fortuna en que se ha convertido la economía mundial, son factores que terminan por impactar en las familias de todo el mundo.

Esto aparece claramente reflejado en los últimos estudios sociológicos que se realizaron en China, que como bien sabe, está gozando uno de los mejores momentos en toda su historia en cuanto a su economía se refiere. El objetivo de dicha investigación era averiguar el impacto que la apertura económica estaba teniendo sobre la sociedad; el primer resultado que se obtuvo fue que la gente percibía una mayor riqueza, pero que esto no se reflejaba en abundancia. Por otra parte, en dicha sociedad apareció una marcada tendencia al individualismo, por lo que la unidad familiar ha quedado relegada a un segundo plano. Esto se debe a que la nueva situación económica que vive ese país ha hecho que sus ciudadanos enfoquen su atención en la adquisición de bienes, por lo que se han dedicado a ahorrar un porcentaje importante de su salario para hacerse de bienes materiales.

Como podemos observar, los cambios de los que hablamos previamente son visibles, otro ejemplo de esto es el internet; un mundo alternativo en el cual se pueden desarrollar las actividades más nobles hasta las más degradantes.

Todo esto se ve reflejado en las noticias que nos muestran los medios informativos todos los días, en los que abundan los hechos de sangre, corrupción, lujuria y demás conductas dañinas y delictivas de las que pueda ser capaz el ser humano. Asimismo, nos hemos podido percatar de que los medios de comunicación se han lanzado en importantes campañas que nos recuerdan la importancia de los valores; esto es debido a que ellos ya se dieron cuenta de que el problema empezó ahí precisamente, en la falta de valores y educación.

Es curioso ver cómo este asunto de los valores ha dejado de ser manejado exclusivamente por filósofos para convertirse en un tema de importancia nacional, y que se ve reflejado en la implementación de campañas como las antes mencionadas. La familia y los valores son ahora un tema de máxima prioridad. Sin embargo, poder establecer un esquema de valores a nivel mundial o nacional se torna en un asunto sumamente complicado, ya que están sujetos a las costumbres, cultura, intereses y hábitos de cada región o país.

En el año 1968, el *Gallup Healthways Well Being Index* (Índice de Formas de Bienestar Gallup) realizó un exhaustivo estudio en los cuatro continentes, mismo que abarcó dieciséis países en total, en el que se interrogaba a los sujetos de estudio: ¿Cuáles eran los valores familiares? Los resultados mostraron que la disparidad en el concepto de los valores entre cada país era sumamente marcada. Resultaba imposible poder establecer un consenso, pues la diferencia iba de continente a continente, país a país, estado a estado, ciudad a ciudad, y familia a familia, estableciéndose que inclusive dentro de una familia se percibían distintos valores.

Esto comenzó a inquietar a muchas naciones, por lo cual se comenzó un movimiento con el afán de incorporar la ética a nuestras vidas como individuos e integrantes de familias; un instituto norteamericano de nombre Instituto para la Ética Global, con sede en Camden, una pequeña localidad de Nueva Inglaterra y que fue fundado por el Dr. Rushworth Kidder, ha dedicado los últimos seis años para iniciar este movimiento, y durante una conferencia en Chile afirmó categóricamente que no sobreviviremos el siglo XXI con una ética del siglo XX.

Seguramente usted ya se percató de estos cambios y algo en su interior le ha urgido a buscar alguna solución, porque ha comprendido que la educación en los valores de todos los integrantes de su familia es una forma de asegurar su tranquilidad y su futuro. Así que le deseamos un feliz trayecto por estas páginas con la esperanza de que la información que aquí encontrará le sea de mucha utilidad.

Capítulo 1:
La familia

En estos días en lo que nos encontramos tan inmersos en adelantos tecnológicos o la vorágine del ritmo de nuestra vida, la familia parece haber pasado a un segundo término; nuestras ocupaciones o aficiones nos han hecho alejarnos de nuestras personas queridas para adoptar un estilo de vida frío y fatuo, en el que lo material ha alcanzado una preponderancia definitiva sobre lo espiritual o sentimental. Asimismo, la crianza de una o dos generaciones hacia atrás ha permitido que observemos el decaimiento de nuestra sociedad debido a que estos niños que ahora empiezan a ser mayores han crecido sin educación o valores, por tanto sin conocer la importancia de un desarrollo real dentro del núcleo familiar.

La familia es sinónimo de diversidad, siendo una institución cuyas raíces están basadas en la relación interindividual, lo que permite llevar más allá su alcance, pues se convierte en un proyecto relacional que no necesariamente se establece por lazos consanguíneos. Su funcionamiento ha cambiado enormemente con el paso de los años, pues la forma en que la experimentan los integrantes de la misma es sumamente variable, una persona puede cruzar por diferentes etapas dentro de ella: celibato, pareja, familia compuesta o monoparental...

Uno de los objetivos primordiales del núcleo familiar es dotar a sus integrantes de la identidad reaseguradora que les permita navegar por esta vida y sus complicaciones; sin embargo, esta tarea se ha ido debilitando debido a que ahora ha dejado en algunas instituciones la responsabilidad de vigilar a sus integrantes en aspectos como: vida, aprendizaje, educación, reproducción. Ahora podemos ver que existen más internados en los que se hacen cargo de los niños sin una supervisión directa de los padres, donde los maestros ejercen parcialmente la función de éstos, permitiendo que el niño crezca sin un lazo fuerte y estrecho hacia sus padres, con quienes puede tener contacto de manera limitada e insuficiente.

A pesar de lo anterior, es menester recalcar que la familia sigue siendo el primer contexto en el que se da el aprendizaje no sólo para los niños sino también para los adultos. En ella se infunden los valores socialmente aceptados y se brinda protección a los niños, tratando de asegurar de esta forma que se desarrollen en condiciones dignas. Después de las primeras etapas de formación, mismas que ocurren durante los primeros años del niño, la familia es auxiliar en el proceso de escolarización, y es durante esta etapa que el pequeño puede comenzar a remontar el vuelo emocional y psicológico, pues en las aulas aprenderá a ser autónomo, equilibrado emocional y socialmente, permitiéndole aprender a establecer vínculos con personas y lugares fuera de aquellos que componen su núcleo familiar.

Podemos establecer que la familia es un proyecto de existencia en común con un proyecto educativo y vital compartido que involucra un fuerte vínculo emocional en un contexto de desarrollo para sus integrantes (niños y adultos), que se presenta en un escenario intergeneracional y que actúa como un consejo que ayuda a sus integrantes a pasar por crisis y problemas. Sin embargo, debemos tener en cuenta que el valor de la familia no reside en los breves momentos que compartimos como tal, en los momentos de alegría o los problemas que resolvemos, sino que su valor se encuentra en el momento en que cada uno de los integrantes de este núcleo asume con responsabilidad y alegría el rol que le ha tocado desempeñar en ella, trabajando en conjunto para lograr el bienestar, desarrollo y felicidad de quienes conforman la familia.

Esto nos permite ver que formar y llevar una familia por el camino correcto es una tarea sumamente complicada, ya que las circunstancias de nuestra vida actual son el principal impedimento para lograr la interacción y colaboración de los integrantes de la misma, comenzando porque generalmente, ambos padres trabajan. Lo anterior trastoca el funcionamiento normal de una familia, por tanto se deben adoptar roles definidos y cumplirlos con atingencia: papá trabaja para traer dinero a casa, mamá trabaja para complementar la situación económica en casa (en igual o mayor cantidad que su cónyuge) y al mismo tiempo cuida de la casa y sus hijos, mientras que estos últimos estudian y obedecen a sus padres.

El valor de la familia se basa en la presencia física, mental y espiritual en el hogar de las personas que la componen, manteniendo disponibilidad al diálogo, convivencia y superación en pos de una vida en común llena de valores. Uno de los principales enemigos de la unidad familiar es el egoísmo, pues debido al ritmo de vida actual, es frecuente que los integrantes de una familia se comiencen a aislar en un mundo aparte, perdiendo el contacto y cercanía con quienes comparte el hogar. Recordemos que los padres son los que deben poner el ejemplo, por lo que si cada uno llega y se desentiende de los demás, no se puede pedir que los hijos tengan conocimiento de cómo vivir en familia y cooperar para la superación de la misma.

Es importante que la familia tenga presente los valores, pues ellos facilitan la sana convivencia y permite que se cultive el respeto y el amor. La generosidad es básica en la interacción de los integrantes de la misma, pues nos hace tener una conducta más tolerante, nos ayuda a escuchar con paciencia a los demás, a dedicarles tiempo para ayudarles a jugar o convivir para entretenerse. Debemos mostrar un total interés por nuestra familia, no una vez a la semana o cinco minutos durante la cena, sino convertirla en una actividad constante, en nuestra preocupación por los demás.

Los hijos aprenden con el ejemplo.

La igualdad nos permite la sana convivencia dentro de un margen de respeto y responsabilidad. Debemos entender que aunque los padres son la autoridad dentro del núcleo familiar, nadie está por encima de nadie ni por encima de las reglas. Todos deben reconocer el esfuerzo de los demás y respetarlo; los hijos deben valorar el esfuerzo de sus padres, quienes salen a trabajar todos los días para proveer y satisfacer las necesidades de sus hijos, de la misma forma los padres deben valorar el esfuerzo que sus hijos realizan al estudiar con dedicación para obtener buenas calificaciones. Cuando en la familia todos se saben apreciados, valorados y comprendidos, la convivencia mejora notablemente y todos tienen una autoestima elevada y sana.

Sin importar lo unida que se encuentre una familia, nunca estará exenta de desacuerdos, diferencias y discusiones; el secreto para librar esas situaciones es evitar la imposición de la autoridad, pues demostrar quién manda o tiene la razón no solucionará nada, por tanto debemos mostrar que podemos comprender los diferentes puntos de vista y dominarnos para controlar cualquier reacción impetuosa provocada por el calor del momento.

Recordemos que en la decisión tomada por el alto mando, y sobre todo, cuando resulta desfavorable para cualquiera de las partes, ocasiona que la comunicación y la convivencia se vean afectadas.

Las prácticas religiosas en cualquiera de sus modalidades, siempre y cuando no se caiga el fanatismo, son benéficas para el desarrollo integral de la familia, pues en ella se encuentra una guía para elevar su calidad de vida formando la conciencia para vivir los valores humanos de acuerdo a un poder superior y a favor de los semejantes; por tanto, la fe nos ayuda a encontrar un ideal sublime y elevado para formar, cuidar y proteger a nuestra familia de manera amorosa y sana.

Debemos recordar que aunque es en los padres en quienes recae la responsabilidad de formar y educar a sus hijos; los niños, adolescentes y jóvenes comparten esta misma responsabilidad, ya que la familia es sinónimo de esfuerzo conjunto, y entre todos pueden ayudarse a ser mejores personas, y por ende una mejor familia. Este esfuerzo conjunto proporciona, además, un fuerte estímulo a los hijos, ya que mejoran su capacidad de trabajo, responsabilidad, confianza, empatía, habilidades sociales, solidaridad y demás valores que le permitirán destacar en la vida diaria.

Resulta claro entender que la felicidad de una familia no depende del número de sus integrantes, sino del interés, tolerancia, amor, respeto y comprensión que existan en ella. Para saber si en nuestras familias se están aplicando y cultivando los valores, lo único que tenemos que hacer es observar si dedicamos tiempo suficiente para enfrentar y disfrutar de la compañía de los demás fomentando la conversación, convivencia y cariño que son la base de nuestras relaciones intrafamiliares. La felicidad de la familia va más allá de la posición económica, pues como sucede en la vida, las mejores cosas no se obtienen con dinero, asimismo, los valores no se compran, se obtienen por medio del ejemplo y el cuidado amoroso de quienes nos rodean. No existen las familias perfectas, sólo las que se esfuerzan en serlo.

Tipos de familia

Debido a las cuantiosas variedades y culturas que existen en el mundo, ofrecer un definición clara de la familia es una tarea sumamente complicada; sin embargo, esto no deja sin valor a la definición ofrecida previamente, sino que la estructura interna de la familia ha ido enfrentando cambios con el paso del tiempo y las diferentes circunstancias en las que se ha desarrollado. Un claro ejemplo de estos cambios sería la familia de una madre soltera, pues debido a sus circunstancias, su estructura se modifica para ser funcional.

Existen varias formas de organización familiar, de las cuales se han podido establecer los siguientes *tipos de familias:*

LA FAMILIA NUCLEAR O ELEMENTAL:

Familia de formación básica compuesta de esposo (padre), esposa (madre) e hijos. Estos últimos pueden ser la descendencia biológica de la pareja o adoptados por la familia.

LA FAMILIA EXTENSA O CONSANGUÍNEA:

Familia que se compone de más de una unidad nuclear; se extiende más allá de dos generaciones y está basada en los vínculos de sangre de una gran cantidad de personas, incluyendo a los padres, niños, abuelos, tíos, tías, sobrinos, primos y demás. Un claro ejemplo es la familia de triple generación que incluye padres, hijos casados o solteros, hijos políticos y nietos.

LA FAMILIA MONOPARENTAL:

Familia constituida por uno de los padres y sus hijos, misma que puede tener diversos orígenes; los padres se han divorciado y los hijos quedan viviendo con uno de ellos, por lo general la madre (la ley tiende a otorgar ese derecho a las mujeres); por un embarazo precoz que da origen a otro tipo de familia dentro de la mencionada, como lo es el caso de la familia de madre soltera; el fallecimiento de uno de los cónyuges es otra causa por la cual se da origen a este tipo de familia.

LA FAMILIA DE MADRE SOLTERA:

Familia en la que la madre asume sola la crianza de sus hijos desde un inicio. La mujer asume este rol, debido a que el hombre se aleja, desconociendo su paternidad por diversos motivos. En este tipo de familia se debe tener presente que hay distinciones, pues la edad es una condicionante de mucho peso, ya que no es lo mismo ser madre soltera adolescente, joven o adulta.

LA FAMILIA DE PADRES SEPARADOS:

Familia en la que los padres se encuentran separados. La pareja deja de vivir juntos; sin embargo, deben seguir cumpliendo su rol de padres ante los hijos sin importar el distanciamiento que haya entre ambos. En muchas ocasiones, la pareja actúa de manera responsable y madura al terminar la relación sentimental, pero sin olvidar sus obligaciones de paternidad y maternidad.

Y completaremos estas categorías con otros tipos de familia, a los cuales sólo nombraremos con la finalidad de hacer más completo este apartado:

FAMILIA MONOPARENTAL EXTENDIDA:

Hay un progenitor, hijos o hijas y personas de la familia.

FAMILIA MONOPARENTAL COMPLEJA:

Hay un progenitor y a su cargo hijos o hijas y comparte vida con personas ajenas a la familia.

Familia compleja:

Es una familia en la que en casa viven personas familiares y no familiares.

Familia extendida:

Es una familia que comparte hogar con personas familiares.

Familia bis:

Es una familia en la que se produce una ruptura en la pareja y cada miembro de ésta forma una familia nueva.

Familia de hecho:

Este tipo de familia tiene lugar cuando la pareja convive sin haber ningún enlace legal.

Familia homosexual:

Familias de personas con preferencias homosexuales que tienen hijos.

Tras haber leído la clasificación anterior, nos resulta inequívoco que la familia es la más compleja de todas las instituciones, aunque en la actualidad ha legado algunas de sus responsabilidades a otras instituciones, lo que le ha valido que muchos estudiosos condenen su funcionamiento. Sin embargo, no podemos descalificarla como la base de la misma y formadora del individuo, ya que debemos reconocer que no siempre los padres cuentan con los elementos que le permitan educar de manera correcta a sus hijos.

También debemos reconocer que la incorrecta formación de los hijos, así como los peligros a los que están expuestos dentro de la familia (violencia intrafamiliar, abusos sexuales, abandono, etcétera) convierten a estos pequeños en víctimas de las drogas, la violencia y el crimen. Sin embargo, debemos confiar en que la educación de los padres y el interés por tener una familia funcional y sana (emocional, psicológica y físicamente), los llevarán a superarse en todos los aspectos en pos de la unidad y felicidad familiar.

PERSONALIDAD DE LA FAMILIA

Como mencionamos anteriormente hay varios tipos de familia, por tanto las formas en que se relacionan sus diversos integrantes también son variadas. A continuación exponemos algunas de las prácticas más importantes para que usted, amable lector, puede entender un poco mejor el funcionamiento de su núcleo familiar:

FAMILIA RÍGIDA:

Familia que tiene dificultades al asumir los cambios de los hijos. Los padres suelen tratar a los niños como adultos. Se niegan a aceptar que sus hijos están o han crecido. Su rigidez mantiene a sus hijos sometidos al ser permanentemente autoritarios.

FAMILIA SOBREPROTECTORA:

Familia preocupada por sus hijos al grado de sobreprotegerlos. Los padres coartan el desarrollo y autonomía de los hijos, y como resultado éstos no saben ganarse la vida, defenderse; suelen excusarse ante todo evitando enfrentar su responsabilidad y terminan convirtiéndose en personas infantiloides o de una marcada inmadurez. Los padres los hacen completamente dependientes de ellos y sus decisiones.

LA FAMILIA CENTRADA EN LOS HIJOS:

En ocasiones los padres no saben enfrentar sus propios conflictos y se evaden enfocando totalmente su atención en los hijos; los convierten en el centro de todas sus conversaciones para no tener que tocar esos temas que les causan molestia o inseguridad, de esa forma nunca se tienen que enfrentar a sus problemas. Convierten a sus hijos en el sentido de su vida, por tanto, buscan permanentemente la compañía de sus hijos, haciendo de ella el objeto de su satisfacción y alegría. Su vida como personas independientes pierde sentido y se convierten en adictos de la vida de sus hijos.

LA FAMILIA PERMISIVA:

Este tipo de familia nos muestra a padres que son incapaces de ejercer la disciplina con sus hijos, basándose en un argumento ilógico con la finalidad de no ser autoritarios pues creen que el razonamiento de sus hijos es suficiente para arreglar cualquier problema de conducta; permiten que sus hijos hagan lo que se les antoje. En este tipo de hogares trastoca el funcionamiento tradicional de la familia, ya que los padres no funcionan como padres ni los hijos como hijos y resulta común observar que los hijos tienen el poder en vez de los padres. En casos muy extremos, los padres evitan controlar a sus hijos por temor a que éstos se enojen y hagan una rabieta.

LA FAMILIA INESTABLE:

Esta clasificación de familia no llega a ser unida, ya que los padres están confusos acerca del mundo que deben mostrar a sus hijos, lo cual ocurre frecuentemente por la falta de metas comunes; les resulta sumamente complicado mantenerse unidos, por lo que su inestabilidad ocasiona que los hijos sean inseguros, desconfiados y temerosos, con gran dificultad para dar y recibir afecto, se convierten en adultos pasivos-dependientes, incapaces de expresar sus necesidades, lo cual los llena de frustración, culpa y rencor debido a las hostilidades que no expresan y que interiorizan.

LA FAMILIA ESTABLE:

Esta familia goza de una gran unidad, los padres conocen perfectamente su rol, definiendo el mundo que quieren dar y mostrar a sus hijos, el cual por lo general está lleno de metas y sueños. Gracias a su unidad, los hijos crecen estables, seguros, confiados, afectivamente sanos, por tanto, al ser adultos son activos y autónomos, capaces de expresar sus necesidades, de esta manera, se muestran felices y con altos grados de madurez e independencia.

 El vínculo que te une a tu verdadera familia no es el de la sangre, es el del respeto y la alegría que tú sientes por las vidas de ellos, y ellos por la tuya. Muy raramente los miembros de una familia crecen bajo el mismo techo.
Richard Bach

La familia está llamada a ser templo, o sea, casa de oración: una oración sencilla, llena de esfuerzo y ternura. Una oración que se hace vida, para que toda la vida se convierta en oración.
Juan Pablo II

La paz y la armonía constituyen la mayor riqueza de la familia.
Benjamín Franklin

Las tradiciones tienen el valor adicional de crear continuidad dentro de la familia.
John Maxwell

El hombre es un animal no social, sino cordial, y la familia es la forma menos imperfecta de la cordialidad humana.
Fernando Sánchez Dragó

La familia proporciona unos valores que quedan para toda tu vida. Una familia unida y llena de amor es un lujo difícil de conseguir.
Daryl Hannah

Si quieres que tu familia te ame y te acepte, entonces debes amarlos y aceptarlos tú a ellos.
Louise Hay

Mi familia más que mi sangre son el oxígeno de mi existir.
María Suyapa Guadamuz

💡 *Tu familia está donde te quieran, aunque no sean nada tuyo.*
Elizabeth Reyes Ruiz

💡 *Aunque tengas una familia numerosa, otórgate un territorio personal donde nadie pueda entrar sin tu permiso.*
Alejandro Jodorowsky

💡 *Una familia feliz no es sino un paraíso anticipado.*
Sir John Bowring

💡 *La familia es base de la sociedad y el lugar donde las personas aprenden por vez primera los valores que les guían durante toda su vida.*
Juan Pablo II

💡 *Todos los pueblos hostiles a la familia han terminado, tarde o temprano, por un empobrecimiento del alma.*
Hermann Keyserling

💡 *Nada mejor en la vida, que una familia unida.*
Refrán

💡 *Una familia unida come del mismo plato.*
Proverbio africano

💡 *La familia está como el bosque, si usted está fuera de él sólo ve su densidad, si usted está dentro ve que cada árbol tiene su propia posición.*
Proverbio africano

El futuro depende, en gran parte, de la familia, lleva consigo el porvenir mismo de la sociedad; su papel especialísimo es el de contribuir eficazmente a un futuro de paz.

Juan Pablo II

Ceder a un vicio cuesta más que mantener una familia.

Honoré De Balzac

Quienes hablan contra la familia no saben lo que hacen, porque no saben lo que deshacen.

Gilbert Keith Chesterton

La familia es el castillo del que partimos y nuestro último reducto. Cuando se se quiebra, caemos en la despersonalización más absoluta.

José L Alonso de Santos

El hombre no se siente completo sólo con una familia, es el trabajo lo que nos da nuestra identidad.

Dustin Hoffman

Cuando tienes una familia que te deja que te expreses como eres, es lo mejor que te puede dar la vida.

Ronald Reagan

Un hombre nunca debe descuidar a su familia por cuidar sus negocios.

Le Corbusier

El que es bueno en la familia es un buen ciudadano.
Sófocles

Para una persona no violenta, todo el mundo es su familia.
Mahatma Gandhi

Para ser feliz hay que vivir en guerra con las propias pasiones y en paz con las de los demás.
Séneca

Una casa será fuerte e indestructible cuando esté sostenida por estas cuatro columnas: padre valiente, madre prudente, hijo obediente, hemano complaciente.
Confucio

Los amigos: una familia cuyos individuos se eligen a voluntad.
Jean Baptiste Alphonse Karr

Los lazos de la amistad son más estrechos que los de la sangre y la familia.
Giovanni Boccaccio

Los padres de familia suelen hablar de la nueva generación como si no tuvieran nada que ver con ella.
Anónimo

Para ser feliz bastan cuatro cosas: salud, familia, trabajo o capacidad de hacerlo y amigos.
J. D. Blackman

El mejor automovilista es aquél que conduce con imaginación: imagina que su familia va con él en el auto.

Henry Ford

Puede haber esperanza únicamente para una sociedad la cual actúa como una gran familia, no como muchas separadas.

Anwar Sadat

Me afecta cualquier amenaza contra el hombre, contra la familia y la nación. Amenazas que tienen siempre su origen en nuestra debilidad humana, en la forma superficial de considerar la vida.

Juan Pablo II

El matrimonio y la familia cristiana edifican la Iglesia. Los hijos son fruto precioso del matrimonio.

Juan Pablo II

Me enamoré de mi mujer y nunca más me volví a enamorar. La fidelidad te la propones inconscientemente: tienes una familia, unos hijos. ¿Cómo vas a jugar al amor por ahí?

Pablo Picasso

Cuando las familias individuales han aprendido la bondad, entonces la nación entera ha aprendido la cortesía.

Confucio

💡 *Si no existieran hijos, yernos, hermanos y cuñados, cuántos disgustos se ahorrarían los jefes de gobierno.*
Álvaro de Figueroa y Torres

💡 *Los mejores momentos de mi vida han sido aquellos que he disfrutado en mi hogar, en el seno de mi familia.*
Thomas Jefferson

💡 *Hoy en día el mundo está cabeza abajo y sufre tanto porque hay muy poco amor en los hogares y en la vida familiar.*
Madre Teresa de Calcuta

💡 *El lugar donde nacen los niños y mueren los hombres, donde la libertad y el amor florecen, no es una oficina ni un comercio ni una fábrica. Ahí veo yo la importancia de la familia.*
Gilbert Keith Chesterton

💡 *Los únicos goces puros y sin mezcla de tristeza que le han sido dados sobre la tierra al hombre, son los goces de familia.*
Giuseppe Mazzini

💡 *Hasta el romano indigente se sentía orgulloso de poder decir "civis romanus sum"; Roma y el Imperio eran su familia, su hogar, su mundo.*
Erich Fromm

☼ *El pequeño mundo de la niñez con su entorno familiar es un modelo del mundo. Cuanto más intensamente le forma el carácter la familia, el niño se adaptará mejor al mundo.*

Carl Jung

☼ *El hombre es esencialmente un ser social; con mayor razón, se puede decir que es un ser familiar.*

Juan Pablo II

Capítulo 2:
Asumiendo el rol de ser padres

La familia ocupa un lugar preponderante en la construcción de la sociedad, por tanto, la responsabilidad que recae en los padres no es nada sencilla, esto lo podemos constatar en las palabras de la autora y psicoterapeuta estadunidense Virginia Satir (1916-1988), quien fue pionera en el campo de la *Teoría Sistémica Familiar*:

> *Si reunimos a todas las familias existentes tenemos la sociedad. Cualquier clase de entrenamiento ocurrido dentro de la familia individual, quedará reflejado en la clase de sociedad conformada por estas familias y las instituciones como escuelas, iglesias, negocios y gobierno son, en todo sentido, extensiones de las formas familiares a las no familiares.*

Esta cita nos confronta con el relevante papel de los padres en la sociedad; sin embargo, ambos tienen un rol determinado y diferente del de cada quien, pero que se complementan, por tanto, son necesarios para cumplir las funciones básicas del núcleo familiar y de la pareja, funciones como engendrar y educar a los hijos. El ejemplo es la primera herramienta educativa con la que cuentan los padres y los hijos, ya que estos comienzan a aprender observando a sus progenitores, y la segunda es la experiencia, pues los niños aprenden de las vivencias que obtienen dentro de su hogar, la relación con quienes los rodean y la interacción con el mundo en el que viven.

Los mayores nos convertimos en un modelo a seguir, un telescopio por medio del cual los hijos van descubriendo el mundo y en el proceso, forjan su personalidad, costumbres, formas de comunicación y comportamiento. La crianza y educación de los hijos se convierte en un nuevo vínculo para la pareja, que debe de estar bien consolidada cuando llegue el momento de que los hijos hayan crecido y abandonen el hogar, pues si lo que los unía eran ellos, en lugar del amor, entonces se verán en serias complicaciones y podrían llegar a separarse al no encontrar nada que los mantenga unidos.

SER MADRE

El concepto de lo que una madre debía ser ha sufrido muchos cambios con el paso del tiempo. Ahora podemos recordar a las madres de las películas de los años cuarentas, eran todo un prototipo de abnegación y sacrificio que muchas veces rayaba en el masoquismo, pero si las comparamos con las madres de nuestros días, podremos observar que hay grandes diferencias ya que los cambios en nuestros estilos de vida y costumbres han sido profundos y en algunos casos, drásticos.

La mujer de hoy se ve exigida a afrontar retos más fuertes y complicados, por tanto, sus decisiones y responsabilidades también han aumentado de dificultad. Antes las mujeres no podían decidir acerca de muchas cosas, y ahora las vemos ocupando cargos importantes dentro del gobierno de cualquier país del mundo, ¡ese es el tamaño de la mujer de nuestros días! Sin embargo, la maternidad también ha sufrido cambios severos, pues con las exigencias a las que se ve sometida la mujer dentro de su nuevo rol social, también debe prepararse de diferente manera para esta nueva etapa de su vida.

Las madres actuales deben buscar su formación como tal, compartir experiencias con otras madres, ya que esto le permite desarrollar su capacidad intelectual y emocional. Aunque básicamente, el rol de la madre es alimentar (en todos los aspectos posibles) a sus hijos para brindarles protección para ayudarles a desarrollarse. Pero a diferencia de las madres de antaño, esta tarea ya no recae sólo en las madres, sino que también el padre se ve involucrado en ella. Para lograr este objetivo, ambos deben de tener mucha comunicación y organización para lograr un consenso sobre el estilo de crianza, valores, hábitos, costumbres y demás tópicos necesarios que deberán inculcar a sus hijos.

Lo anterior es de suma importancia al concebir un hijo, pues de no lograrse, se corre el riesgo de que la maternidad deje de ser una etapa de alegría e ilusiones, para convertirse en un calvario por la tensión que llega a desarrollarse con la pareja, y si a esto le aunamos los miedos naturales de una responsabilidad tan grande como esta, la experiencia se transforma en un verdadero suplicio.

La madre es el primer contacto del bebé con una familia, es ella quien primero satisface sus necesidades básicas por medio de la alimentación y el contacto físico, estimulando los sentidos e intelecto del recién nacido. Se ha establecido que la madre es la piedra angular sobre la cual se construye la familia, es el catalizador de las múltiples personalidades de los integrantes de la familia y quien mantiene a todos unidos; es quien crea las bases afectivas para lograr una verdadera estabilidad emocional que les permita a todos vivir con seguridad y ofrece valores que les ayudarán a convertirse en individuos autónomos capaces de sostener con éxito relaciones humanas.

Es por eso que la relación madre-hijo es la base sobre la cual se establecen las relaciones con otras personas.

El rol de la madre tiene un impacto profundo en la realidad personal de los hijos, mismo que se refleja en la sociedad en la que se desarrolla. Si sucediera la ausencia de la madre en la vida del hijo, y ésta fuera por un tiempo prolongado, es natural que los hijos sufran un retraso en su desarrollo afectivo, condenándolo inevitablemente a serias dificultades al momento de establecer relaciones afectivas con otras personas.

En la familia se encuentra el contacto afectivo entre los padres e hijos, lo que les permite ir aprendiendo a valorar sus vidas, dándoles sentido, sin importar si se encuentra dentro de una familia monoparental. El papel de la madre es insustituible.

Definamos a continuación las funciones de la madre en tres áreas básicas:

Relación afectiva

Cuando un niño viene al mundo, llega con una clara expectativa del encuentro con esa persona con la que ha compartido espacio, cariño y vida, por tanto, si la madre está expectante y añora la llegada de este nuevo ser, la experiencia de la maternidad será sumamente placentera; lo cual no sucede cuando la madre no desea en realidad la llegada del fruto de su vientre. Es importante mencionar que una maternidad llevada en buenos términos, es determinante para lograr que el bebé supere todos los obstáculos que encontrará en su desarrollo.

Cuando ambos se encuentran por primera vez, ninguno de los dos tiene idea de qué es lo que debe hacer; sin embargo, el instinto maternal despierta en la mujer y en el transcurso de los primero meses de vida logra acumular toda la seguridad en lo que está haciendo, por tanto, le transmite esa seguridad a su hijo, formando un vínculo increíblemente sólido que le ayudará en su desarrollo integral.

La relación que tengan las madres con sus hijos marcará el origen de las futuras relaciones interpersonales de éstos, pues es gracias a la capacidad de demostrar su afecto que el bebé se desarrolla en la formación de sus futuras relaciones sociales.

Las reglas

La disciplina y las reglas son un concepto que los niños descubren casi de manera instintiva, pues cuando aun no pueden hablar, los padres ya han establecido algunas de ellas; sin embargo, la figura de la madre autoritaria es descubierta al crecer. Sin embargo, la forma en que sean corregidos y educados los marcará de por vida, pues cuando la madre corrige, al mismo tiempo está enseñando a sus hijos a corregir, por lo que cuando el niño llega a ser adulto, repetirá el modelo que observó al ser disciplinado, por tanto, si las medidas fueron brutales, él repetirá ese mismo modelo, pues es lo que conoce.

EL APOYO

Desde el nacimiento de los hijos, la madre se convierte en su protectora y amiga, por lo que los niños, desde temprana edad, ven a su madre como la persona que les brinda esa protección, lo que los lleva a convertirla en su apoyo. Cuando los hijos son pequeños, hacen de sus madres sus confidentes, lo que permite que ésta los ayude a caminar en la dirección correcta, estableciendo los primeros valores en su desarrollo social y humano.

Esto establece patrones que los hijos desarrollarán y llevarán a cabo cuando la vida y las circunstancias se los pidan, es por eso que el rol de la madre tiene vital importancia dentro de la vida de todos nosotros y del funcionamiento de la familia.

CONSEJOS PARA SER MADRE TRABAJADORA Y NO DESFALLECER EN EL INTENTO

1. Relajarse y evitar estresarse por pequeñeces: El mundo no se terminará si en casa hay un poco de desorden o si la comida no está lista a cierta hora. No se preocupe demasiado si su hogar no luce reluciente todo el tiempo. Piense que es imposible tener el control absoluto de todo, y que siempre podrá salir adelante.

2. Analizar cuál es la mejor opción para el cuidado de los niños: No puede estar en 2 lugares al mismo tiempo, así que busque el apoyo de alguien más para dejar a sus hijos a su cuidado, opciones como un familiar, una niñera o una guardería siempre son válidas. Recuerde que si está segura de que sus hijos están bien, podrá concentrarse mejor en su trabajo.

3. Aprender a delegar tareas en el hogar: Usted no es la única que debe limpiar y mantener el orden; esta responsabilidad es de todos, así que comience a delegar labores con los demás integrantes de la familia. Además, esto ayudará a fomentarles el sentido de pertenencia al hogar.

4. Administre su tiempo para jugar y compartir con los hijos: Compartir momentos de ocio y esparcimiento son una demostración de amor a sus hijos y al mismo tiempo fomentan un desarrollo saludable. No importa que sean breves los momentos que tenga disponibles, hágase el propósito de disfrutarlos. Recuerde que más vale calidad que cantidad.

5. Trate de obtener flexibilidad en el horario laboral: Intente negociar sus horarios y las condiciones que le permitan tener tiempo para compartir con la familia. No trabaje horas extras, intente ver a su hijo a la hora de almuerzo o bien tómese menos tiempo al final del turno y trate de salir antes.

6. Rodéese de personas que le apoyen: Cuando se sienta abrumada, apóyese en su pareja, amigos y familiares, no se guarde sus preocupaciones para sí misma, ya que hacerlo siempre trae consecuencias emocionales o físicas.

Usted es una súper mamá.

No existe la madre perfecta, pero hay un millón de maneras de ser una buena madre.

Jill Churchill

Una madre tiene algo de Dios y mucho de ángel.

José Fernández del Cacho

No existe un corazón, como el corazón de la madre.

Martín Bretón

La unión simbiótica tiene su patrón biológico en la relación entre la madre embarazada y el feto. Son dos y, sin embargo, uno solo. Viven juntos (simbiosis), se necesitan mutuamente.

Erich Fromm

La madre y el delantal, tapan mucho mal.

Refrán

Madre, te bendigo porque supiste hacer de tu hijo un hombre real y enteramente humano.

Miguel Ángel Asturias

No hay madre como la de uno mismo.

Proverbio africano

El ser más importante no es el padre ni la madre, sino el niño, pues de él depende el futuro.

Kostas Axelo

💡 *Madre no hay más que una.*
Refrán

💡 *La madre y la hija, por dar y tomar son amigas.*
Refrán

💡 *Quien discute sobre si se puede matar a la propia madre no merece argumentos sino azotes.*
Aristóteles

💡 *El corazón de una madre es un abismo profundo en cuyo fondo siempre encontrarás perdón.*
Honoré De Balzac

💡 *Si una madre publicara los silencios que ha guardado, se volverían santos los hijos al escucharlos.*
Alicia Beatriz Angélica Araujo

💡 *Hay sólo un niño bello en el mundo, y cada madre lo tiene.*
José Martí

💡 *De mi madre aprendí que nunca es tarde, que siempre se puede empezar de nuevo; ahora mismo le puedes decir basta a los hábitos que te destruyen, a las cosas que te encadenan, a la tarjeta de crédito, a los noticieros que te envenenan desde la mañana, a los que quieren dirigir tu vida por el camino perdido.*
Facundo Cabral

La más bella palabra en labios de una persona es la palabra madre, y la llamada más dulce: madre mía.
Khalil Gibran

No podemos temer nunca cuando tenemos una madre poderosa y amante que vela por nosotros.
Daniel Comboni

Hoy en día el mundo está cabeza abajo y sufre tanto porque hay muy poco amor en los hogares y en la vida familiar.
Madre Teresa de Calcuta

Cada obra de amor, llevada a cabo con todo el corazón, siempre logrará acercar a la gente a Dios.
Madre Teresa de Calcuta

Amor de madre, ni la nieve le hace enfriarse.
Refrán

Sólo una madre sabe lo que quiere decir amar y ser feliz.
Adalbert Von Chamisso

Una madre perdona siempre; ha venido al mundo para esto.
Alejandro Dumas

Toda mujer es madre aunque no tenga hijos.
José Narosky

Como es la madre, así es la hija.
Refrán

Todo lo que soy o espero ser se lo debo a la angelical solicitud de mi madre.
Abraham Lincoln

El corazón de la madre es el único capital del sentimiento que nunca quiebra, y con el cual se puede contar siempre y en todo tiempo con toda seguridad.
Paolo Mantegazza

Dios, al nacer nosotros, nos dio por cuna el corazón de una madre.
Enrique Domingo Lacordaire

Mi madre fue la mujer más bella que jamás conocí. Todo lo que soy, se lo debo a mi madre. Atribuyo todos mis éxitos en esta vida a la enseñanza moral, intelectual y física que recibí de ella.
George Washington

Mi madre es mi único mito.
Manuel Campo Vidal

Como blasfemo es el que abandona a su padre, maldito del Señor es quien irrita a su madre.
La Biblia

Amor de madre, que todo lo demás es aire.
Refrán

Cuando Dios tiene su altar en el corazón de la madre, toda la casa es su templo.

Gertrud Von Le Fort

El paraíso está en el regazo de una madre.

Proverbio árabe

Quien ama a su madre, jamás será perverso.

L. Charles Alfred De Musset

Jamás ha habido niño tan adorable que su madre no quisiera verlo dormido.

Ralph Waldo Emerson

Ninguna obra maestra de ningún artista puede igualar la creación de un niño hecho por una madre. El éxito no sólo se mide por lo que somos, sino también por el regalo que damos, ¡y el regalo de una madre es una persona!

Gerry Spence

Madre que no cría, no es madre, sino tía.

Refrán

Todas las madres vienen de la misma madre, por eso, madre es la verdadera palabra de un universo.

José Luis Cunha

La religión tiene por padre a la miseria y por madre a la imaginación.

Ludwig Feuerbach

Creo que, si en el nacimiento de un niño una madre pudiera pedirle al hada madrina dotarlo con el mejor regalo, éste sería la curiosidad.

Eleanor Roosevelt

De mujer que es madre, nadie nunca mal hable.

Refrán

Amar a la madre de sus hijos es lo mejor que un padre puede hacer por sus hijos.

Theodore Hesburgh

El niño reconoce a la madre por la sonrisa.

León Tolstoi

El que honra a su madre amontona tesoros.

Jesús Ben Sirá

Cuando necesito de paz, de tranquilidad, de sosiego, cuando muchos copetines y muchas farras me han cansado, vengo a ver a mi viejecita, y a su lado recobro fuerzas.

Carlos Gardel

Quien quiere a su madre no puede ser malo.

L. Charles Alfred de Musset

El porvenir de un hijo es siempre obra de su madre.

Napoleón I

🔆 Aunque amo a mi madre, no quise hacer un retrato idealizado de ella. Me fascinan más sus defectos: son más divertidos que sus otras cualidades.

Pedro Almodóvar

🔆 Abriendo los picos, los pajaritos esperan a su madre. Lluvia de otoño.

Kobayashi Issa

🔆 ¿Cuál puede ser una vida que comienza entre los gritos de la madre que la da y los lloros del hijo que la recibe?

Baltasar Gracián

🔆 Jamás en la vida encontraréis ternura mejor y más desinteresada que la de vuestra madre.

Honoré de Balzac

🔆 Madres, en vuestras manos tenéis la salvación del mundo.

León Tolstoi

🔆 Los hombres son los que sus madres han hecho de ellos.

Ralph Waldo Emerson

🔆 No tiene el mundo flor en la tierra alguna, ni el mar en ninguna bahía perla tal, como un niño en el regazo de su madre.

Oscar Wilde

Un padre puede darle la espalda a su hijo, hermanos y hermanas pueden convertirse en inveterados enemigos, los maridos pueden abandonar a sus esposas, pero el amor de una madre dura para siempre.

Washington Irving

La naturaleza ha preparado mejor a las mujeres para ser madres y esposas que a los hombres para ser padres y maridos. Los hombres tienen que improvisar.

Theodor Reik

Contemplado el mundo se puede dudar de la mujer; pero ya no es posible dudar más mirando la propia madre.

Enrique Domingo Lacordaire

Capítulo 3:
La paternidad

El rol del padre

La importancia del padre dentro del desarrollo de los hijos ha tomado mayor importancia con el transcurso de los años. Los medios de comunicación son un claro reflejo de esta realidad, ya que es común ver anuncios en los que los padres tienen una completa y cercana interacción con los niños, llegando incluso a mostrarlos cambiando pañales, lo cual era imposible hace apenas unos años. Las compañías que se dedican a fabricar carritos para bebés también han tomado cartas en el asunto, pues ahora ya fabrican algunos de sus productos con las agarraderas más grandes para que los hombres de mayor estatura puedan empujar los carritos con mayor facilidad y menor esfuerzo.

Los psicólogos y pedagogos han desarrollado más investigaciones al respecto y sus resultados han probado ser trascendentales para el desarrollo de los niños y la relación hijo-padre. Mostrando la crucial importancia de esta relación durante el primer año de vida del bebé, pues éstos contribuyen a fortalecer los lazos con sus padres al nacer y encontrarse en los brazos de estos. La llegada de un hijo a la vida de un padre es un evento de gran importancia, pues se sienten llenos de orgullo al observar que han sido creadores de una nueva vida y se sienten ansiosos por llevar entre sus brazos a este nuevo ser. Durante los primeros tres meses este rol se fortalece cada vez más, pues los padres se han establecido en el nuevo rol de sus vidas y responden a las necesidades del bebé, procuran pasar tiempo con él y al llegar a la edad de un año, el vínculo entre ambos es una realidad, mostrando gran estabilidad y fortaleza en la relación de ambos y la forma en que interactúan.

El vínculo que desarrollan los bebés con ambos padres se crea casi al mismo tiempo; sin embargo, es después de un año cuando se empieza a mostrar la fortaleza del vínculo paterno, pues en un estudio se demostró que los bebés de un año o más de edad protestaban de igual forma cuando los separaban de su padre y madre, mientras que los de nueve meses o menos, protestaban sólo cuando los separaban de su madre. Otra faceta de este estudio demostró que cuando ambos padres estaban presentes, poco más de la mitad de los bebés mayores de un año, buscaban a su madre mientras que la otra mitad mostraba la misma necesidad de encontrar a su padre. Como otro punto de los estudios anteriores, se descubrió que los bebés prefieren más a sus padres que a un extraño, pero que se inclinaban más por la madre, sobre todo si estaban disgustados. Esto se debe a que la madre es quien cuida por mayor tiempo al niño.

EL COMPORTAMIENTO DE LOS PADRES
ANTE LOS NIÑOS

El tiempo y las investigaciones han echado por tierra la idea tradicional de que la mujer es la que tiene una inclinación predispuesta biológicamente para cuidar a los hijos, pues ahora se ha demostrado que los hombres también pueden ser sensibles y afectivos con sus hijos. Los hombres han aprendido a comportarse de manera similar a las madres, ahora emplean el mismo lenguaje hacia sus hijos e incluso ajustan su frecuencia cardiaca, presión arterial y comportamiento demológico de acuerdo a las señales que sus hijos envían. Sin embargo, a pesar de estos cambios, los padres no son tan sensibles como las madres, asumiendo un rol menos activo en la crianza del niño, por lo que la cantidad de cuidados que le brinde al bebé será definitiva para determinar el nivel de sensibilidad de un hombre ante su hijo.

Se ha demostrado que en los países industrializados los hombres brindan mayores cuidados a los niños, pues se realizó un estudio con 48 padres irlandeses todos ellos pertenecientes a la clase obrera, y los resultados fueron asombrosos pues se encontró que brindan un alto nivel de cuidado a sus niños y por lo tanto desarrollan una fuerte relación con ellos. Estos estudios también demostraron que existe una importante relación entre cuidado del padre durante el primer año de vida del niño y las pruebas cognoscitivas. En dichos estudios los hombres le hablaban a sus bebés, jugaban con ellos, los alimentaban, cambiaban sus pañales, los consolaban y les cantaban; sin embargo, se encontró que los hombres jóvenes cuyo matrimonio se encontraba en buenas condiciones, habían acudido al parto de su hijo, e incluso se reorganizaron en cuanto al trabajo en las labores domésticas, pues eran los más dispuestos a atender y cuidar a sus hijos.

Esta relación entre padre e hijos es sumamente importante, para demostrar este punto nombraremos dos estudios diferentes, uno de ellos se realizó en Estados Unidos. Se observó que los padres cuidan a los bebés menor tiempo de lo que juegan con ellos mientras que sus madres realizan actividades con ellos de una forma completamente diferente. Se realizaron filmaciones que duraron entre 2 y 25 semanas, en las que se observó que los padres proveen estímulos intensos de corta duración, mientras que las madres son más tiernas y sus estímulos más duraderos, por ejemplo, los padres dan palmaditas a los bebés, mientras que las madres les cantan o hablan con dulzura.

El segundo estudio se realizó con padres suecos y alemanes, encontrándose que no acostumbran jugar con sus hijos de esa manera, además de que los menores muestran mucho mayor apego hacia las madres que a sus padres, lo cual marca una clara diferencia con los niños de Estados Unidos, pues ellos muestran apego hacia ambos padres.

El resultado de ambos estudios fue que la forma de jugar entre padres e hijos durante el primer año de vida del bebé marca notablemente el camino que habrá de llevar la relación entre ambos, demostrándose que los juegos vigorosos crean un fuerte vínculo. Sin embargo, la forma en que los padres se pueden involucrar con sus hijos está sujeta a diferentes circunstancias, dentro de las cuales, la más significativa podría ser la actitud de la madre. Ella parece llevar el rol o el papel de intermediaria entre el padre el hijo, observando con atención lo que el padre dice o hace con su bebé. Otra condicionante sería si la madre trabaja o se dedica de tiempo completo a su hogar, pues aquellas madres que salen suelen ser quienes estimulan más a sus hijos, ofreciéndole más tiempo para jugar que los padres, pues se ha demostrado que los papás que cuidan a sus hijos tienen a comportarse más como madre y no como típicos padres.

Para los investigadores resulta evidente que los roles y las expectativas sociales influyen directamente en el tipo de interacción padre-hijo. Las obvias diferencias entre un hombre y una mujer hacen que el rol de cada uno de los padres sea único en la familia y por lo tanto lo que aportan a ella. En un estudio realizado con niños que apenas empezaban a caminar y en el que dos tercios de ellos eran hijos de mujeres que trabajaban fuera del hogar, se demostró la gran importancia que tiene el que el padre se involucre en los juegos y el cuidado de los niños, pues esto ayudó a que se desarrollará de mejor manera su capacidad para resolver problemas; sin embargo la relación con la madre observó mayor impacto en la relación, aunque gracias al padre y la interacción con éste, se crearon vínculos más seguros con ella.

El vínculo que se creó con el padre le ofrece al niño seguridad, lo que ayuda a que éste logre establecer amistades más estrechas a la edad de cinco años.

La figura del padre no siempre representa autoridad o disciplina, aunque también contribuye de manera importante en el sentido de independencia de los bebés. Durante un estudio realizado a 44 niños y niñas de dos años de edad, se encargó a los padres que brindarán los cuidados primarios a los pequeños, también se les dieron instrucciones de que evitaran que los niños se acercaran a los juguetes y a un magnetófono, mientras tanto, las madres (quienes no dieron cuidados primarios) recibieron las mismas instrucciones. Ambos padres demostraron que se relacionaban de manera muy similar con sus hijos; sin embargo, todo parece indicar que los padres pueden relacionarse con sus hijos sin representar el papel de figura disciplinaria y mostrando una actitud menos estereotipada que la de las madres.

El género de los niños influye directamente en el comportamiento de ambos padres, esto resulta mucho más obvio en los padres que en las madres, aunque durante el primer año de vida del bebé esta diferencia es notable, durante el segundo es cuando resulta más claro, pues los papás tienden a dedicar más tiempo a sus hijos varones que a sus hijas, por lo tanto parece ser que los padres son quienes propician el desarrollo de la identidad de género y el rol del mismo por medio de los cuales los niños aprenden el comportamiento que la sociedad acepta para cada sexo.

Aparentemente se ha demostrado que los padres influyen directamente en el desarrollo cognoscitivo de los hijos, pues cuanta más atención prestó para su hijo varón del primero al quinto mes de vida, el bebé se mostrará más inteligente, alerta, curioso y alegre. Lo anterior parece explicar que los niños que crecen sin padre parecen retrasar su proceso cognoscitivo en comparación a los que crecen con dos padres, sin importar que en la familia monoparental la madre ejerza ambos roles.

SER PADRE

Cuando un niño viene al mundo instintivamente necesita su madre, lo mismo sucede con el padre pero en un momento diferente, pues progresivamente se va separando de su madre y entablando una relación con él, en la que hallará una fuerte identificación masculina la cual era imprescindible tanto para los niñas como para los varones, esto es debido a la condición sexual del ser humano la cual requiere de la pareja (padre y madre) para lograr un armónico desarrollo de la personalidad. El rol del padre ha sido establecido como una persona o figura fuerte protectora y la autoridad y el proveedor; sin embargo, también ha sido una figura ausente, lejana, temida y respetada, dentro de la cual la ternura no parece ser una de sus funciones. Asimismo, se da por hecho que los hombres no son sensibles y por tanto, no lloran; sin embargo, los cambios en nuestro estilo de vida y en nuestra sociedad han ido modificando esta imagen.

En otros tiempos las familias se han hecho menos numerosas, tanto el rol de los hombres como el de las mujeres se ha ido transformando, exigiéndole al hombre deshacerse de la careta de insensible y fuerte que tanto daño ha ocasionado a la apreciación de los hijos sobre esta figura. Es claro que todos los hombres tienen debilidades, y que esconderlas exige sacrificar muchas de las experiencias que la paternidad ofrece. Asimismo, las distancias entre familiares han ocasionado que se acuda en menor medida a los familiares en busca de apoyo en la crianza de los hijos; por tanto, el hombre es feliz involucrado cada vez más en las actividades domésticas y en otras experiencias de las que antes era excluido, por lo que ahora resulta normal ver a un hombre cambiando los pañales de sus hijos.

Basándonos en los cambios antes mencionados y en otras características podremos afirmar que la figura paterna se desarrolla en 3 áreas básicas: El padre, figura de apoyo y protección:

La figura del padre como proveedor de los satisfactores naturales de la familia (techo, comida, vestido y educación) es completamente aceptada; por tanto, la actividad a la cual se encuentra asociada dicha figura es que es el encargado de salir a trabajar para proveer lo necesario para satisfacer las ideas básicas y dar seguridad a los integrantes de su familia. Sin embargo, las exigencias del medio ambiente y la sociedad ocasionan que en muchas circunstancias el hombre se sienta abrumado e incapaz de cumplir dichas exigencias, esto ocasiona cambios en su conducta y en su actitud como padres.

La ambición de ofrecer a su familia una fuerte seguridad económica ocasiona que muchos padres conviertan al trabajo en la razón de su vida, ocasionando que enfoquen toda su energía y tiempo en esta tarea dejando su familia en segundo plano. Asimismo, hay padres que refuerzan en convertirse en la figura de autoridad capaz de poner disciplina y tomar decisiones (unilaterales), olvidándose de que educar a los hijos es una labor que debe ser compartida con la madre y que el autoritarismo sólo provoca temor e inseguridad.

Aunque si bien es cierto que las dos circunstancias dimensionadas son importantes, también es cierto que se debe buscar un equilibrio para convertirlas en una función primordial de la paternidad donde lo afectivo pudiera resultar aún más importante. Los hijos y la pareja tienen la imperiosa necesidad de sentirse aceptados, queridos, respetados y entendidos, aunque no siempre de acuerdo con ellos; por tanto el padre debe ser capaz, antes de cualquier cosa, de ofrecer respeto. Seguramente veremos detalles en nuestra familia que no siempre serán de nuestro agrado, pero debemos tener en cuenta que cada uno de los integrantes de la misma son individuos aparte, cada uno con sus propias características, intereses y personalidad; asimismo, también los veremos equivocarse y cometer errores, pero debemos recordar que con los castigos se obtienen menos resultados y mayores consecuencias que cuando brindamos apoyo y consejos.

El padre que continuamente corrige, reta, critica y censura a sus hijos, está ocasionando que éstos tengan menos posibilidades de sentirse seguros de sí mismos. Un padre afectuoso y que permite el diálogo, proporcionará a sus hijos una imagen positiva del mundo además de una sensación de protección, amor, respeto y comprensión sumamente necesaria para su sano desarrollo. Con un padre autoritario sucede todo lo contrario, pues con su actitud, castigos y reproches, ocasionan miedo e inseguridad en sus hijos, por lo que crecerán llenos de ansiedad y temor lo cual se traduce en amplias posibilidades de fracaso.

El contacto físico es otro punto importante dentro del sano desarrollo de los hijos, aunque mucho se había pensado que estas muestras de afecto le restaban autoridad al padre; sin embargo, las caricias han demostrado que los padres no solamente pueden ser cariñosos con sus hijos cuando son pequeños, pues está más que comprobado por la pedagogía que el contacto amoroso de los padres fomenta un desarrollo pleno e integral de los niños.

EL PADRE, UNA VENTANA AL MUNDO

El padre, al ser quien es, por tradición, es señalado como el que sale a trabajar y se enfrenta al mundo, se convierte en una especie de ventana al exterior para sus hijos. Es por su conducto que los hijos empiezan a conocer de la existencia de los deportes, política, trabajo, estudio, tránsito, clima y muchas cosas más. Esto también fortalece el vínculo entre los dos; sobre todo si el padre suele tener cuidados y atenciones para con su hijo. Esto lo convierte en alguien muy cercano y de mucha confianza, esta relación va evolucionando transformándose, pues cuando el niño es pequeño, su padre es quien le da seguridad dentro del hogar, más cuando ya es adolecente, el padre le proporciona seguridad dentro y fuera de casa, el joven sale a la calle sabiendo que cualquier cosa que le suceda, su padre siempre estará ahí para apoyarlo.

El padre, apoyo en la educación académica

El padre puede convertirse en un gran apoyo para la educación académica de sus hijos, para lo cual, deberá tener una preocupación sistemática acerca de sus tareas, calificaciones y clases. Generalmente éstas son realizadas por la madre, quien acude a las juntas y revisa las tareas. En realidad son pocos los padres que conocen el nombre de los profesores de sus hijos. Pero, no podemos culpar de todo a los padres, ya que debido a sus ocupaciones muchas veces los salarios no son compatibles con sus actividades; sin embargo, puede colaborar con el desarrollo escolar de su hijo para lo cual debe supervisar las tareas y el desempeño del niño, así como ayudarle investigar y razonar sus deberes.

Durante la etapa escolar del niño, el rol del padre es sumamente importante, ya que se convierte en una figura de apoyo y motivación. En los hogares donde el padre está ausente, se ha comprobado que el rendimiento escolar de los hijos es menor al promedio. Esto nos demuestra lo importante que es apoyar y estimular el rendimiento del niño, pues la cercanía y apoyo del padre ayuda a criar hijos creativos e independientes.

El estilo de crianza

A pesar de los cambios del mundo actual, con sus profundas transformaciones sociales, geográficas e ideológicas, además de sus adelantos tecnológicos y científicos que desatan la generación de constantes estilos de vida, la familia es y seguirá siendo el grupo natural del ser humano, y en la unidad establecerá un frente común ante las dificultades de sus hijos y se esforzará por mantenerlos dentro del orden establecido por la sociedad en la que se desarrolle.

La madurez del hombre, con todos los valores que implica, se encuentra basada en el equilibrio de la polaridad hombre-mujer inherente en cada quien, y su papel se ha transformado con el paso del tiempo, aunque continúa conservando su rol principal como figura de autoridad; sin embargo, la evolución de la familia nos mostró que al principio, cuando el ser humano comenzaba a poblar el planeta, su alimentación era vegetariana, pero al volverse carnívora, se establece el rol del padre como proveedor, ya que su fuerza y habilidad como cazador le permitía satisfacer las necesidades alimentarias de su familia.

Es de esta forma como la paternidad se establece como la base de este grupo natural transformándose después en el matrimonio. Aunque la pareja aporta a sus hijos los valores propios de su género, el padre sigue siendo el representante de la autoridad (con excepción de las familias en las que la madre se encuentra sola ante la responsabilidad de la crianza y desarrollo de sus hijos), la fuerza y el poder, por lo que dentro de su núcleo familiar es quien aporta la seguridad (en todos sus aspectos) que termina por transmitir a sus hijos quienes se sienten seguros de sí mismos y de la sociedad en la que se desarrollan.

Tradicionalmente el padre es quien establece con mayor autoridad las reglas morales en las que se basa en comportamiento de sus hijos. En la actualidad, este sistema patriarcal sigue vigente, sólo basta conocer la etimología de la palabra "padre" para poder comprobarlo, ya que en latín *pater, patris* significa "patrono, defensor o protector". La formación cultural y moral en la que nos regimos, continúa estableciendo la obediencia al padre de familia como regla inalterable e inquebrantable. Sin embargo, en la actualidad las funciones familiares también han cambiado, pues ya no son tan rígidas, ahora algunas de ellas parecen ser más naturales, lo cual se puede interpretar como que dichas funciones son ahora compartidas y realizables en forma complementaria.

Lo anterior también se ve reflejado en la percepción que los hijos tienen de los padres, pues ya no sólo es el padre quien provee, es la figura de autoridad y puede hacer cosas increíbles; ahora también las madres comparten ese rol, salen a la calle a ganarse la vida y traer el sustento para ayudar a satisfacer la necesidades de su hogar, y comparten la posición de autoridad que antes sólo ocupaba el padre. Sin embargo, aunque la madre comienza a compartir este rol, aún existen características en las que no puede participar, pues si bien es cierto que los padres son iguales, el papá sigue representando la autoridad, la firmeza, la decisión y el amparo.

La figura paterna es sumamente importante dentro del desarrollo de los hijos

En el caso de las niñas, la presencia del padre le ayuda a establecer y formar una idea de lo que es un hombre (llevando los sentimientos de la relación parental a la relación de pareja), normando su afinidad con la persona que buscará para formar su propia familia, aunque es en su padre en quien buscará la guía necesaria para que le imponga normas que regularán su comportamiento el resto de sus días.

En el caso de los niños, en su padre encontrará el modelo necesario para tipificar su género y de esta forma aprender qué es apropiado dentro de la sociedad y de esa manera establecer el comportamiento pertinente. El padre es quien ayuda a su hijo a convertirse en un individuo autónomo, al mismo tiempo que determina su desarrollo cognoscitivo y lo prepara para convertirse en parte de la sociedad.

Todo lo anterior viene a colación porque es común en estas épocas escuchar que los padres se quejen de la falta de obediencia de sus hijos y de lo difícil que es controlarlos; sin embargo, esto se encuentra íntimamente ligado con la falta de autoridad de los padres, quienes no han logrado establecer esa imagen ante sus vástagos. En muchas ocasiones esto se debe a la lucha de poder que tiende a desatarse entre la pareja, lo que ocasiona que la autoridad de ambos quede en entredicho al ser cuestionada por el uno o el otro.

Es importante que la labor educativa de la madre sea respaldada por el padre, quien será el encargado de dar la última palabra en cuanto a decisiones importantes se refiere (castigos, reprimendas, orientación, etc.), ya que el padre no sólo es el proveedor, es también el encargado de dar estabilidad y decisión a los conflictos.

La importancia de la figura paterna es una realidad, por lo que cuando éste se aleja de su familia, los hijos comienzan a mostrar señales de desubicación o descontrol, empezando a desarrollar deficiencias en sus relaciones sociales (amigos, compañeros de escuela, vecinos, madres); se convierten en personas rebeldes y completamente ingobernables, lo cual podría llevarlos a verse involucrados en situaciones nada agradables.

La paternidad se divide en estilos, los cuales fueron definidos e identificados por Diana Baurmind en 1917, por lo que sometió a estudio a varios niños de preescolar y logró establecer tres categorías de estilos de paternidad: padres autoritarios, permisivos y democráticos. Sin embargo, dos estudiosos más realizaron importantes aportaciones a esta clasificación. El trabajo de Faw vino a reforzar el primer estudio al definir las mismas tres categorías, que aunque el nombre de cada una era diferente, las características eran las mismas; pero el trabajo de Van Pelt (1985) añadió las siguientes categorías: autoritarios, permisivos, posesivos y sin amor.

La categoría que los tres estudios comparten, es la del padre autoritario; estos investigadores definen a esta categoría como aquellos que tratan de controlar el comportamiento y actitudes de sus hijos, haciendo que se ajusten a un patrón de comportamiento definido; imponen inflexiblemente las reglas sin observar la edad, características y circunstancias del infante. Para estos padres, la obediencia incondicional es sumamente apreciada y castigan con dureza cuando los hijos se comportan de manera contraria a los patrones establecidos.

El estudio Faw se muestra un poco más rigorista al definir el autoritarismo paternal, pues establece que estos padres observan rígidos patrones de conducta, y que pasan por alto las necesidades de sus hijos, ejerciendo una fuerte represión cuando estos fallan al observar un comportamiento dentro de los estándares paternales, evitando ofrecer una explicación acerca de la razón de dicha represión. Sin embargo, Van

Pelt profundiza aún más al unir las características del padre autoritario, el padre sin amor y el padre posesivo, dando como resultado que todas ellas corresponden al primero.

La actitud del padre autoritario hacia el hijo es de constantes y severas reprimendas, lo que ocasiona que el niño se desarrolle en un ambiente de zozobra y temor ininterrumpidos, dando como resultado un infante que cuando se enfrenta a un medio social se comporta de manera rebelde y pendenciera; en la escuela llegan tener muchos problemas por su actitud desafiante, además de ser desobedientes, nerviosos, poco tolerantes y temperamentales. Dentro de estas características, podemos observar que de manera indirecta, aparecen las señales del padre sin amor; esta categoría de paternidad suele castigar frecuentemente al menor, ejerciendo castigos sumamente severos por no cumplir normas o estándares que resultan imposibles de cumplir o alcanzar. Mientras que el padre posesivo hace gala de buenas intenciones, mismas que complementa con reglas deficientes, impidiendo que sus hijos enfrenten los retos de la vida y corran riesgos razonables, evitando de esta manera que se vuelvan independientes y fuertes.

Diana Baurmind estableció el modelo del padre democrático como aquel que: "En el estudio de Faw, éste aplica a la categoría de padres autoritarios con las mismas características de los padres democráticos, recalcando que estas personas muestran una gran confianza en ellos mismos, comportándose de manera exigente y amorosa al mismo tiempo con sus hijos, aplican medidas correctivas cuando es necesario, siempre dando razones lógicas por las cuales aplican dichas medidas y evitan a toda costa utilizar los castigos físicos".

Según Baurmind, los padres permisivos son los que exigen menos a sus hijos, permitiéndoles controlar sus actividades, no son exigentes, rara vez castigan a sus hijos, pero tampoco son muy cariñosos; sin embargo, según el trabajo de Faw, lo anterior se debe a que se sienten inseguros de su desempeño como padres, así que el control que tienen sobre sus hijos es muy relativo y por lo tanto no consideran prudente castigarlos. Van Pelt también ofrece una contribución a esta categoría, y afirma que son los niños quienes dominan a sus padres obteniendo el control, mientas que sus padres se doblegan ante ellos y sus caprichos.

COMPORTAMIENTO DE LOS NIÑOS

Hasta este punto hemos visto las clasificaciones de la paternidad y sus características. Sin embargo, es importante que podamos apreciar las consecuencias de dichas características en el comportamiento de los niños para poder ayudar a los padres a reconocer los patrones que desarrollan en su interacción con sus hijos y poder hacer los cambios pertinentes para evitar daños severos.

PADRES AUTORITARIOS

Los padres que muestran este patrón de comportamiento suelen presionar mucho a sus hijos a través de golpes y regaños, lo que ocasiona que éstos sean inseguros, temerosos y poco creativos, coartando así el desarrollo pleno de sus capacidades. Muestran un bajo desarrollo escolar, son hiperactivos y tienden a ser desobedientes. Todo lo anterior les lleva a tener una baja autoestima, y por tanto, en la escuela suelen ser solitarios e introvertidos. Desarrollan dependencia hacia el padre que los maltrata, prefiriendo sufrir malos tratos a que los ignoren. Con el tiempo, los niños se vuelven sumamente agresivos y hostiles, mientras que las niñas se vuelven introvertidas, inseguras, irritables y muestran grandes dificultades para poder adaptarse a la sociedad.

PADRES PERMISIVOS

Los padres que muestran este patrón de comportamiento ocasionan que sus hijos sean indulgentes, destructivos y con dificultades para lograr su adaptación a la sociedad; muestra un control muy pobre, desempeño escolar bajo, un alto nivel de agresividad, inmadurez, tendencia a mentir y desobedecer, por lo que todo lo anterior los lleva a poseer una autoestima muy baja y tienden a vivir en un estado severo de frustración. Si a todo lo anterior le incluimos hostilidad por parte de los padres, este niño tendría muy altas posibilidades de convertirse en delincuente.

PADRES DEMOCRÁTICOS

Durante los 90, los investigadores Papalia, Wendkos Olds y Woofolk, establecieron que los niños que tienen padres permisivos obtienen un mejor desempeño escolar debido a que sus padres les prestan atención y apoyo al realizar sus tareas, aclarar sus dudas y reconocer sus aciertos. Estos niños sólo reciben castigo físico cuando de verdad es necesario, pero siempre es acompañado de una explicación congruente.

Todo lo anterior tiene por resultado que los niños sean más seguros, menos agresivos y hostiles, independientes, autodogmáticos, populares y con una autoestima sana y fuerte. Tienden a mostrar un mayor autocontrol y se desarrollan de manera satisfactoria dentro de la sociedad, gozando de actividad y creatividad en todas sus acciones.

Lo anterior nos hace preguntarnos cuál sería el estilo de crianza ideal; para la investigadora Diana Baumrind el mejor modelo sería el padre democrático, pues éste ya sabe que los niños son niños y no espera que sean perfectos, lo cual permite que los niños no carguen con la presión de tener que cumplir las expectativas de sus padres, ya que éstos tienen una imagen apegada a la realidad de lo que son capaces sus hijos.

Los otros modelos no ofrecen los mismos beneficios que el anterior, pues el padre permisivo no orienta o disciplina a su hijo por lo que éste sufre angustia y depresión al no saber cómo comportarse. Los padres autoritarios asfixian a sus hijos con su control estricto, utilizando el castigo y los golpes como medida de corrección, lo que ocasiona que sus hijos vivan inseguros y temerosos al no saber qué comportamiento le traerá golpes o castigos.

Los padres deben ser muy cuidadosos al momento de corregir a sus hijos, pues la irritación y la impaciencia al aplicar disciplina hacen que estos tengan la idea de que se les ha castigado porque sus padres no los aman, lo que a la larga trae consecuencias emocionales como dependencia e inestabilidad emocional.

Varios investigadores sostienen que en realidad no se pueden establecer patrones de paternidad fijos ya que los padres atraviesan por diferentes estados de ánimo y situaciones, por lo que parecen cruzar por todos ellos y no permanecer en uno solo. Lo más importante es que los padres reconozcan que sus hijos son personas diferentes a ellos, y que por lo mismo gozan de cierta autonomía e ideales propios, aunque muchas veces serán contrarios a sus deseos o criterios.

Sin embargo, uno de los problemas que más se presenta durante la educación un niño es cuando ambos padres tienen diferentes estilos de crianza. Pudiera ser que el padre sea severo, mientras que la madre sea más consecuente, frecuentemente esto acarrea problemas de descontrol en la conducta del niño, por lo que es recomendable que ambos se unan y comenten cualquier punto de desacuerdo, pero siempre deberán hacerlo en privado. Cuando un niño se da cuenta de que sus padres no se ponen de acuerdo en cuanto su educación, ha encontrado una rendija por la cual puede llegar a burlar la autoridad de ambos, por lo tanto es importante que los padres se mantengan unidos en la disciplina de su hijo.

No permita que sus hijos hagan lo que quieran.

El que te enseña por un día es tu padre por toda la vida.

Proverbio chino

Cual es el padre, así los hijos salen.

Refrán

El ser más importante no es el padre ni la madre, sino el niño, pues de él depende el futuro.

Kostas Axelo

El único amor perfecto en este mundo es aquel del padre por su hijo.

Enzo Ferrari

Mi padre era poco amigo de explicaciones. Pienso que tal vez prefería enfrentarme al paisaje, a los hombres, a las cosas que pueden ayudar a entender la vida, para que poco a poco yo sacara mis propias conclusiones. Tenía, sí, el buen tacto de no ofrecerme espectáculos vulgares. Muchas veces, con una mirada o una palabra, me ordenaba alejarme de gentes que él no consideraba oportunas o dignas para mis ojos.

Atahualpa Yupanqui

¡Cuán grande riqueza es, aun entre los pobres, el ser hijo de buen padre!

Juan Luis Vives

Contra un padre no hay razón.

Refrán

Un padre que sabe dar rienda suelta a su infante interior, será capaz de valorizar el mundo interno de sus hijos, aunque éste sea uno con necesidad especial.

Pedro Pantoja Santiago

Todo lo que hay ha existido siempre. Nada puede surgir de la nada. Y algo que existe, tampoco se puede convertir en nada.

Padre Isla

Mi padre, al irse, regaló medio siglo a mi niñez.

Antonio Porchia

Un padre se ocupa más de diez hijos que diez hijos de un padre.

Adam Smith

El hombre común se molesta si le dicen que su padre era deshonesto, pero se vanagloria si descubre que su bisabuelo fue pirata.

Bern Williams

A un padre siempre hay que ayudarlo. Hace falta enseñarle que la vida es difícil. Si después, como es justo, llegas donde él quería, debes convencerlo de que estaba equivocado y que lo hiciste por su bien.

Cesare Pavese

Mira a quien está sobre ti como a tu padre, y a quien está debajo como a tu hijo.

Proverbio iraní

Los hombres olvidan más fácilmente la muerte de su padre que la pérdida de su patrimonio.
Nicolás Maquiavelo

El padre debe ser más amado que la madre, pues él es el principio activo de la procreación, mientras que la madre es tan sólo el principio pasivo.
Santo Tomás de Aquino

Un padre sin hijos es como un arco sin las flechas.
Proverbio africano

Como es el padre, así es el hijo.
Proverbio latino

Ser padre es la única profesión en la que primero se otorga el título y luego se cursa la carrera.
Luis Alejandro Arango

El mejor legado de un padre a sus hijos es un poco de su tiempo cada día.
Anónimo

No hay nada más hermoso que un padre llegue a convertirse en amigo de sus hijos, cuando estos lleguen a perderle el temor pero no el respeto.
Proverbio chino

Un padre es un tesoro, un hermano es un consuelo: un amigo es ambos.
Benjamín Franklin

Hijo eres, padre serás; cual hicieres, tal habrás.

Refrán

Cuando yo tenía catorce años, mi padre era tan igno-rante que no podía soportarle. Pero cuando cumplí los veintiuno, me parecía increíble lo mucho que mi padre había aprendido en siete años.

Mark Twain

Mi padre siempre me decía: encuentra un trabajo que te guste y no tendrás que trabajar un solo día de tu vida.

Jim Fox

Prudente padre es el que conoce a su hijo.

William Shakespeare

El padre para castigar y la madre para tapar.

Refrán

De tus hijos sólo esperes lo que con tu padre hicieres.

Refrán

El padre debe ser el amigo, el confidente, no el tirano de sus hijos.

Vincenzo Gioberti

He aprendido que cuando un recién nacido aprieta con su pequeño puño, por primera vez, el dedo de su padre, lo tiene atrapado por siempre.

Gabriel García Márquez

Tener hijos no lo convierte a uno en padre, del mismo modo en que tener un piano no lo vuelve pianista.
Michael Levine

Cuando dirijo, hago de padre; cuando escribo, hago de hombre; cuando actúo, hago el idiota.
Jerry Lewis

Un buen padre vale por cien maestros.
Jean Jacques Rousseau

Si el Padre Eterno existe, a fin de cuentas, el ve que no me comporto peor que si fuera un creyente.
George Brassens

El hijo rectifica los errores de su padre. Un buen hijo, restaura la culpa de su padre. Buena fortuna. El padre representa el convencionalismo. El hijo, el vigor de la juventud, capaz de no permitir la degeneración. Implica asumir la responsabilidad de sus errores.
I CHING

Si la pobreza es la madre de los crímenes, la falta de espíritu es su padre.
Jean de la Bruyere

El hacer el padre por su hijo es hacer por sí mismo.
Miguel de Cervantes Saavedra

Capítulo 4:
Matrimonio

La definición tradicional del matrimonio lo define como la alianza por la que el varón y la mujer constituyen entre sí un consorcio de toda la vida, ordenado por su misma índole natural al bien de los cónyuges y a la generación y educación de la prole. El matrimonio cristiano tiene características de una alianza de amor de los esposos entre sí y de ellos con Dios. Sin embargo, el matrimonio moderno nos marca otras tendencias.

Podemos apreciar que el matrimonio moderno se relaciona con la economía, el derecho y la religión debido a que aporta el marco para casi todas las actividades humanas, además de ser la institución en la que se basa cualquier sociedad. Muchas de las modificaciones que ha sufrido vienen desde periodos como La Reforma o la Revolución Industrial, además de la evolución del pensamiento social y de género, por lo que ahora nos resultan normales las uniones por el libre deseo de ambos contrayentes. En México, en algunas localidades lejanas de centros urbanos, aun se dan las uniones por conveniencia; muchas veces hemos escuchado por medio de los servicios noticiosos que alguien vendió a su hija por un becerro o que entregó a su hija porque el ahora esposo le ofreció un terreno o una cantidad en efectivo.

Pero esto no es un suceso exclusivo de comunidades rurales, pues a lo largo de la historia, los matrimonios por conveniencia fueron una práctica común. En la actualidad casi han desaparecido pero en China, antes de la revolución, la novia veía por primera vez a quien habría de ser su esposo hasta el día de la boda.

Sin duda alguna, algunos de los factores que más ha afectado al matrimonio han sido las relaciones sexuales prematrimoniales, el aumento de la edad promedio para casarse, la independencia y superación de las mujeres (con el consabido aumento en sus percepciones y posibilidades económicas), la tolerancia en cuanto a temas que antes eran considerados tabú, las modificaciones a las leyes que facilitan el divorcio, las reformas legales que eliminaron obstáculos para las personas nacidas fuera del matrimonio y (tal vez el mas importante) los cambios en los roles del hombre y la mujer.

Observemos la siguiente información publicada por el OIT (Organización Internacional del Trabajo), en la que nos habla acerca del rol económico que la mujer desempeña en nuestros días:

... la mitad de las mujeres del mundo se declara económicamente activa. En este estudio fueron excluidas las mujeres que realizan únicamente trabajos domésticos. En los países desarrollados, la mitad de las mujeres mayores de 15 años

*trabajan, en Pakistán por ejemplo sólo el 15% y
en Rusia el 99% trabajan. En México y Etiopía,
casi el 53% de las personas de 25 a 54 años son
mujeres, pero su participación laboral es de sólo
el 31 y el 41%...*

Podemos apreciar la creciente participación de la mujer en la economía, los logros que han obtenido en materia laboral son muy importantes; sin embargo, la mujer lleva un funcionamiento social aun más complicado que el hombre debido a que, además de trabajar, tiene que hacerse cargo de las labores domésticas, el cuidado de los hijos y el embarazo. Aunque si bien es cierto, que muchas de las actividades de las mujeres en pareja ahora son compartidas por su cónyuge, el peso que llevan sobre sus hombros sigue siendo fuerte.

LA PAREJA

Comenzaremos haciendo una breve remembranza de esa vez en que descubrimos que estábamos enamorados, comenzamos a sufrir de falta de concentración y todo nos parecía hermoso siempre y cuando lo compartiéramos con esa persona que nos había impactado con su presencia, haciendo que deseáramos compartir nuestra vida con ella. Sin embargo, con el paso del tiempo, hemos comprendido que esa sensación era provocada por nuestro cerebro, que al liberar algunos neurotransmisores (dopamina y norepinefrina) nos producía un estado eufórico que nos liberaba del cansancio, y que nos producía insomnio y falta de apetito.

Según la antropóloga Helen Fisher, la disminución de los niveles de serotonina explicarían los continuos lapsos de ensoñación y la perseverante permanencia de la persona amada en nuestra mente, lo cual corresponde a las teorías más actuales en las que los científicos comparan el estado de enamoramiento al de un adicto a cualquier estupefaciente. La producción de las sustancias que nuestro cerebro libera nos produce tolerancia y dependencia (por lo que cuando no tenemos la "dosis" necesaria de la persona amada, sufrimos de una especie de síndrome de abstinencia).

Lo anterior también nos brinda una explicación acerca del porqué el amor apasionado de los primeros meses de relación no dura para el resto de la vida, pues al llegar a un punto que puede variar cerca de los dos años, esa pasión se convierte en apego. Nuestro cerebro ya no puede seguir trabajando a marchas forzadas por tanto tiempo y renuncia a seguir elaborando y liberando los neurotransmisores anteriormente mencionados, así que la relación cambia. Esto no significa que sea peor o mejor que antes, simplemente que ahora es diferente, se entra en una etapa que muchos denominan como "madura".

Hasta ahora hemos analizado lo que sucede en nuestro interior, pero ¿qué pasa con nuestro exterior? También comienza a mostrar cambios, nuestra conducta comienza a transformarse, tal vez el primer detalle que pueda recordar es que comenzamos a esconder nuestros defectos, tratamos de dar la apariencia de ser casi perfectos para no decepcionar a esa persona a la que nos esforzamos en impresionar. Pero esto no sólo ocurre con nuestra persona, no, ya que comenzamos a observar defectos en la persona amada, pero no nos importan, los minimizamos y disculpamos con cualquier cantidad de disparates, sólo basta que nos parezcan un poco lógicos para que podamos esconder detrás de ellos la montaña de defectos de nuestra o nuestro elegido. En el peor de los casos, decidimos que los defectos son tan insignificantes que no nos molestan o que nosotros cambiaremos esa parte de la personalidad del otro.

Ahora bien, por fin logramos el amor del objeto de nuestro afecto, y por un tiempo, las cosas siguen igual, seguimos mostrando nuestra mejor cara y nuestras medallas como "el partido del año"; sin embargo, muchas veces esto no alcanza para poder consolidar dicha relación y termina con la separación de la pareja. Pero, en muchos de los casos, esa separación se hubiera podido evitar si hubiéramos seguido los siguientes consejos:

> *Mostrarnos tal como somos, sin máscaras y sin fingir*
>
> *Evitar la idealización absoluta de la pareja.*
>
> *Establecer los límites de la relación de forma adecuada (no imponiendo, sino negociando de manera adecuada).*
>
> *Manteniendo expectativas realistas acerca de la persona y nuestra relación.*
>
> *Aprendiendo a comunicarnos de forma correcta para evitar cualquier tipo de malentendidos.*
>
> *Aprendiendo a reforzar positivamente los aspectos de la pareja que más nos atraen, ya que si lo hacemos de esta manera, conseguiremos que*

> *esas conductas que nos hacen felices tengan mayor probabilidad de repetirse. La venganza y los castigos no suelen ser buenas maneras de resolver nuestras dificultades, pues fomentan el rencor y la ira.*

Y ahora, ya casados ¿seguimos cumpliendo con estos consejos? Si la respuesta es "no", entonces estamos en el camino directo de un conflicto. Aunque deberíamos poner todo nuestro empeño en evitar cualquier dificultad que pudiera dañar nuestra relación.

La comunicación

La comunicación en pareja nos sirve para definir nuestra calidad de vida dentro de la relación, se convierten en una especie de medida que nos permite saber si nos encontramos felices y satisfechos. La vida en pareja es un aspecto básico, pues en ella se basan muchos objetivos de nuestra existencia, y la comunicación es la única forma de construirlos.

La comunicación afectiva es la forma de construir cualquier relación, a través de las palabras es como llegamos a conocer a la otra persona, enterándonos de sus gustos, aficiones, planes e incluso defectos. ¿Cómo podríamos saber que a nuestra pareja le molestan las películas románticas? Sólo comunicándonos. Es ahí donde reside la verdadera importancia de la comunicación, pues no podemos amar aquello que desconocemos.

Debemos entablar una comunicación sana y abierta con nuestra pareja para permitirle saber qué es lo que nos gusta, lo que pensamos, lo que sentimos, lo que necesitamos o esperamos de la vida, de esta forma la pareja pueda tener una visión clara de nosotros para poder entendernos y ayudarnos, por supuesto, debe suceder lo mismo de su lado. Aunque debemos tener en cuenta que la comunicación no solamente comprende las palabras, también los gestos, la mirada, la sonrisa, el tono de voz y postura que acompañan a las palabras. Este tipo de comunicación, que recibe el nombre de lenguaje no verbal, en muchas ocasiones nos permite saber más que las palabras (le recomendamos leer los libros que esta editorial publica acerca del lenguaje corporal), ya que estos factores actúan como una especie de guión silencioso y frecuentemente tienen un significado muy diferente al que las palabras expresan.

La comunicación se basa en el diálogo:

Diálogo: comunicación entre dos o más personas en la que todas ellas alternan el uso de la palabra.

El diálogo nos permite llegar al entendimiento dando como resultado una comunicación efectiva, por medio de intercambios de ideas, sentimientos y opiniones, además de profundizar en las ideas y personalidad de otras personas y así lograr un mayor acercamiento. Sin embargo, es importante mantener una disposición abierta al diálogo, aquí también juega un papel importante en lenguaje corporal pues seguramente usted ha observado que cuando platique con alguien está persona mantiene los brazos cruzados, voltea para otro lado, evite el contacto visual, observa el estado de sus uñas, juguetea con sus manos, tamborilea con sus dedos sobre una superficie, bosteza, etc., todo esto es una clara señal de que el canal del diálogo se encuentra cerrado. Por tanto, es importante que al entablar un diálogo mostremos interés y preocupación por lo que la otra persona nos está expresando.

Como un comentario adicional, si me lo permite, me gustaría decirle que el arte de la conversación es una práctica que está en peligro de extinción, por lo que le recomiendo que busque material al respecto y se convierta en un buen conversador. El consejo más práctico que a este respecto le puede ofrecer, es que escuche con atención y cuando sea su turno de hablar, al terminar haga una pausa pues esto indica a su interlocutor que es su turno para continuar la conversación. Si realiza esto durante una plática, comenzará a marcar la dinámica que debe seguir la plática.

El diálogo eficaz cotidiano es una excelente herramienta para evitar malos entendidos y problemas, ya que nos permite conocer más a fondo a la pareja, sus deseos y necesidades; además, le proporcionará un sentimiento de alegría por saberse escuchada y comprendida, pues si esta condición no se cumple la relación puede comenzar a deteriorarse provocando un alejamiento paulatino entre la pareja. En realidad, no es suficiente con que escuchemos ya que es necesario poner atención y mostrar interés a las palabras de nuestro interlocutor. Si hacemos esto tenemos mayores posibilidades de comprender lo que nuestra pareja nos quiere decir, alejándonos de los peligrosos y molestos malentendidos.

A los hombres siempre les resulta más complicado expresar lo que sienten, pero es menester que se establezca una verdadera relación de confianza para que ambos lados puedan expresar sus sentimientos, ya que muchas veces damos por sentado que la otra persona conoce lo que estamos pensando o sintiendo y cuando nuestra pareja hace algo que nos hace sentir excluidos, terminamos por ofender, cuando la culpa es nuestra por no haber tenido una comunicación eficaz.

Es necesario comunicar los sentimientos ya sean positivos o negativos, para lo cual debemos tener mucho cuidado con nuestro lenguaje verbal, ya que éste puede alterar el mensaje que pretendemos entregar. Generalmente cuando expresamos nuestros sentimientos nos sentimos vulnerables, algo así como caminar desnudos por la calle; sin embargo, está comprobado que ir almacenando los sentimientos en nuestro interior puede llegar a ocasionarnos malestar físico.

Si considera que su relación sufre por falta de comunicación, seguramente es porque discute muy frecuentemente. A continuación le ofrecemos algunos consejos y ejercicios para salir de este problema.

Para saber cómo terminar con una discusión:

1. *Tomen lápiz y papel y escriban todos los puntos que les desagradan de su pareja, de esta manera podrán identificarlos y comentarlos sin terminar en una discusión. Éste debe ser un ejercicio de tolerancia, amor y respeto.*

2. *Identifique (cada uno de ustedes) en qué medida es responsable de las discusiones violentas o tensas.*

3. *Acepte cada quien la responsabilidad sobre su conducta y en qué medida ésta desencadena las peleas, siempre con humildad y sinceridad.*

> 4. Contesten las siguientes preguntas:
>   - ¿Quién comienza casi siempre las discusiones?
>   - Después del conflicto ¿su molestia desaparece?
>   - ¿Quién suele dar el primer paso para la reconciliación?
>   - ¿Les gustan los conflictos y no pueden evitar las peleas?

Al realizar el ejercicio anterior, comparen sus respuestas y analícenlas con calma y honestidad, y hagan un verdadero compromiso de resolver cada uno de los puntos. Recuerde que está en juego el futuro de su relación.

Consejos para evitar las peleas

1. Para que la relación funcione y avance, es vital fomentar la comunicación con la pareja, y es necesario que expreses lo que quiere y también escuche el punto de vista de la otra persona, evitando una pelea o enfrentamiento.

2. Si tiene carácter impulsivo, siempre deténgase unos segundos antes de explotar y gritar. Piense bien lo que va a decir para detener y evitar un ataque verbal a su pareja. Cuente hasta diez y respire hondo antes de reventar, recuerde que muchas veces las palabras duelen más que los golpes, y el daño que ocasionan puede ser irreversible.

4. Si tiende a quedarse callado, haga un esfuerzo y exprese lo que siente, evite el papel de víctima sumisa, a nadie le conviene y es muy poco atractivo.

5. *Cuando su pareja habla y habla sin parar, evitando que usted haga uso de la palabra, comience a hablar aunque no tenga claro lo que va a decir, diga frases que interrumpan el monólogo del otro. En poco tiempo descubrirá que está expresando lo que siente o piensa. Recuerde hacerlo sin gritar.*

6. *El orgullo nos impide reconocer errores o pedir disculpas, así que deje a un lado el ego y esfuércese por ser comprensivo con su pareja. Esta es una buena forma de llegar a un acuerdo.*

7. *Utilice el sentido del humor y la imaginación, observará que es una gran herramienta para hacer las paces con su pareja.*

8. *Si alguno de los dos sale de casa de mal humor por una discusión "mañanera", eviten que el reencuentro por la tarde vuelva a ser conflictivo.*

Principales causas de conflicto en la pareja

La infidelidad

Es muy frecuente que las parejas en algún momento hayan hablado acerca de lo que pasaría si uno de ellos cometiera alguna infidelidad; sin embargo, cuando eso sucede, la primera reacción suele ser preguntarle por qué lo hizo. Según algunos psicólogos, cuando esto sucede es como una señal de alarma en la relación e indica que algo no anda bien. Así que veamos los siguientes puntos:

Analice si busca algo que no tiene o si huye de algo que lo perturba:

Cada motivo requiere de un enfoque diferente. La infidelidad pone en riesgo tres pilares básicos de la pareja: la unión, la estabilidad y la posibilidad de progreso. Inclusive, pudiera ser que en alguno de estos puntos se encuentre el origen del problema.

Cuando entra en juego una tercera persona:

Es muy frecuente que la persona que está siendo infiel se plantee la posibilidad de decírselo a su pareja, como si fuera un criminal que necesita sacarse de encima el tremendo peso que su fechoría le provoca. Aunque se debe analizar concienzudamente esta decisión, ya que sin importar qué

La comunicación es la base de una buena relación.

decisión se tome, las consecuencias para ambos pudieran ser tremendas.

Hablar acerca de la infidelidad:

En caso de que la infidelidad se haya cometido como un acto reflejo para pedir lo que no se tiene y buscar ayuda, pudiera ser fructífero hablarlo; sin embargo, si se hace a la ligera, sin analizar las consecuencias de hacerlo, se puede dar origen a un foco de inseguridad en la pareja que transforme la vida de ambos en un verdadero infierno. En este caso, lo mejor es buscar ayuda profesional y acudir en solitario a la terapia, después, puede intentarse la terapia en pareja si es que así lo aconseja el especialista.

La infidelidad es como estar de socio con alguien y robar dinero de la caja.
Fernando Sabino

La diferencia de la infidelidad en los dos sexos es tan real que una mujer apasionada puede perdonar una infidelidad, cosa imposible para un hombre.
Stendhal

La infidelidad mata el amor.
Gabriel García Marquéz

Los hombres engañan más que las mujeres; las mujeres, mejor.
Joaquín Sabina

Las infidelidades se perdonan, pero no se olvidan jamás.

Marquesa de Sévigné

El adulterio es justificable: el alma necesita pocas cosas; el cuerpo muchas.

George Herbert

Capítulo 5:
Los celos

Cuando una pareja se une, lo hace con la idea que de que sus necesidades emocionales serán satisfechas, mismas necesidades que les resultan necesarias para su desarrollo personal y social. Al inicio de toda relación, se realiza un compromiso (consciente o inconsciente) de amor, respeto, permanencia, fidelidad, sexualidad, convivencia y otros aspecto que resultan necesarios para la consolidación de dicha pareja. Esto viene a trastocar la popular idea de que una pareja se une por amor y para formar una familia, ya que esto es lo que la sociedad espera y ha establecido por muchísimo tiempo. Aunado a esto, debemos tomar en cuenta los valores de cada familia y región donde la persona se ha desarrollado, pues es en esta parte donde todo comienza a tornarse un poco más complejo. Compartir nuestro punto de vista, creencias, gustos, aficiones, valores, ideología y al mismo tiempo compaginarlos con los de la otra persona, ocasiona una serie de fricciones, ya que de manera consciente o no, consideramos tener la razón y que nuestros sentimientos o ideas son los que valen, haciendo caso omiso a las de la pareja.

De lo anterior se desprenden las costumbres y forma de ser de cada quien; si la conducta de la otra persona no es parecida a lo que nosotros esperamos, inmediatamente se prende un foco de alerta y comienzan los problemas. Digamos que usted, el varón, es una persona sumamente introvertida y callada, mientras que su pareja es alegre y extrovertida, con gran facilidad para socializar. Cierto día acuden a una reunión y usted, como acostumbra y se siente cómodo, va a una esquina y se sienta a observar a los demás, mientras que su pareja quiere bailar y socializa con todos; lo anterior le causa una tremenda incomodidad, ya que su pareja se ha salido de lo que usted considera una conducta aceptable y canaliza esa incomodidad hacia los celos. Piensa que su pareja está coqueteando con todos y a usted lo ignora por las razones que pueda imaginar.

Este ejemplo tiene sus raíces en el sentido de exclusividad sexual. Esto no es anormal o raro, todas las parejas en un grado u otro tienen problemas con los celos, y en todas ellas, de manera real o ficticia, se encuentra involucrada la sexualidad. Además de los celos, existen otros puntos que vienen a deteriorar la situación: la lucha por el poder dentro de la relación, mala comunicación, falta de intimidad, aburrimiento, costumbre, apatía sexual, desinterés, etcétera.

Todo esto genera que nuestra mente comience a buscar una explicación para todo lo que nos sucede como pareja, y nuestra mente crea al "monstruo de los celos". Nuestra imaginación comienza a volar a una velocidad vertiginosa y crea una historia en la que todos los puntos se conectan y en la que nuestra pareja nos está fallando de alguna manera.

Los **celos patológicos** deben de ser tratados por un profesional que ofrezca consejos y **asistencia psicológica**; sin embargo, si la persona afectada no ha llegado aún a un nivel tan intenso que pueda considerarse enfermizo, ésta puede por sí misma solucionar su problema. Los celos mal manejados pueden tener repercusiones funestas para la relación y pudieran terminar por separarlos; por tanto, si se llega a alcanzar el nivel de celos patológicos, es importante y necesario buscar ayuda profesional. Si se descuida este aspecto, usted tendrá posibilidades muy altas de perder a su pareja. Los celos tienden a romper la relación.

Hable con su pareja y plantee la situación y cómo se siente, pídale que evite dar pie a que los celos aparezcan evitando sembrar sospechas o temores, además de cuidar la intimidad, la pasión y el afecto con usted.

Consejos para superar los celos

🔲 *Cuando algo le moleste en vez de gritarle o hacer acusaciones en el aire, hable tranquilo con su pareja sobre lo que le sucede y traten de arreglar las cosas por las buenas y comunicándose de la manera más efectiva (sin pelear).*

🔲 *Si su anterior relación fue tormentosa o si fue engañado, no significa que su pareja hará lo mismo, tenga confianza y recuerde que usted la eligió, así que confíe en su buen juicio.*

🔲 *Cuando se sienta agobiado lo mejor es platicar con alguna persona en quien usted confíe y tenga buen juicio, una vez que se desahogue, podrá ver que las cosas no son tan graves y verá todo con mayor claridad.*

>  ¿Siente que sus amigos cada vez le simpatizan menos?
>
> ¿Cree que conoce los sentimientos de su pareja mejor que ella misma?

Si ha respondido que sí a todas las preguntas, entonces será recomendable que platique con un profesional; pero si no ha sido así, entonces ponga todo de su parte y esfuércese para superar esta etapa en su relación. Recuerde que los celos matan al amor y terminan por separar a las parejas.

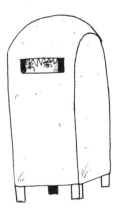

Tenga confianza en su pareja y evite vigilarla.

El amor y los celos son compañeros.
Refrán

Ni yo mato por celos ni tú mueres por mí.
Joaquín Sabina

Y siento celos al pensar que un día, alguien, que no te ha visto todavía, verá tus ojos por primera vez.
José Angel Buesa

Los celos son el mayor de los males, y el que menos mueve a compasión a la persona que los causa.
François de la Rochefoucauld

Los celos son una mezcla explosiva de amor, odio, avaricia y orgullo.
Jean Baptiste Alphonse Karr

Los celos se alimentan de dudas, y se convierten en furor o se extinguen apenas pasamos de la duda a la certidumbre.
François de la Rochefoucauld

Los celos son, de todas las enfermedades del espíritu, aquella a la cual más cosas sirven de alimento y ninguna de remedio.
Michel de Montaigne

En los celos hay más amor propio que amor.
François de la Rochefoucauld

El hombre es celoso si ama; la mujer también, aunque no ame.

Inmanuel Kant

Las mujeres feas son celosas de sus maridos. Las bonitas no tiene tiempo, ¡están siempre tan ocupadas en estar celosas de los maridos de los demás...!

Oscar Wilde

Los celosos son los primeros que perdonan, todas las mujeres lo saben.

Fiodor Dostoievski

Capítulo 6:
Las suegras y la familia política

Las malas relaciones con las suegras y los parientes de la pareja suelen ser motivo de chiste, pero "entre broma y broma, la verdad se asoma". Esto es y será uno de los motivos más frecuentes de conflicto en la pareja. Frecuentemente sentimos que el bagaje educativo, cultural y emocional que nuestro cónyugue viene acarreando nos resulta irritable; sin embargo, cuando vemos la fuente original de donde salió, es decir, su familia, nos resulta doblemente irritable. Por tanto, nos damos a la tarea de intentar cambiar a la persona que amamos, tratando de arrancarle sus raíces afectivas (cambiar su estructura familiar); sin embargo, esta es una lucha que ya está perdida.

Lo mejor que se puede hacer en ese caso, es comenzar a cambiar la forma en que vemos a nuestra pareja, es decir, tratando de ignorar todas las cosas negativas que reconocemos en esta persona y que sabemos que viene arrastrando desde su familia. Además, en muchas relaciones han tenido

> 📦 Cuando su familia política y su pareja estén en desacuerdo, siempre apoye a su pareja.
>
> 📦 Perdone y olvide, traer viejas rencillas u ofensas al presente sólo sirve para contaminar el ambiente de la relación y seguirán siendo tema para discutir.

Hemos colocado frases celebres al final de algunos puntos con la intención de que le sirvan de motivación; sin embargo, en el caso de las suegras nos permitiremos poner algunos comentarios chuscos. Recuerde, no se tome la vida tan en serio, de todos modos, no saldrá vivo de ella.

Frases en lápidas

📦 *Señor, recíbela con la misma alegría con la que yo te la envío.*

📦 *Tanta paz encuentres, como tranquilidad me dejas.*

📦 *Fallecida por la voluntad de Dios y la ayuda de un médico imbécil.*

📦 *Aquí yace mi suegra, fría como siempre.*

📦 *Ya era hora.*

📦 *RIP, RIP, ¡HURRA!*

📦 *Ya estás en el paraíso... y yo también*

📦 *Creí que no iba a ocurrir nunca.*

> 🎁 *Sus hijos y su marido la añoran... su yerno no.*
>
> 🎁 *Aquí descansa ella, y en casa descansamos nosotros.*

Algunos chistes de suegras:

Un hombre después de visitar a su suegra en el hospital le dice a su mujer:

—Tu madre viene a vivir con nosotros.

—¿Por qué dices eso?

—Porque el médico me ha dicho que esperemos lo peor.

—Mi amor... apresúrate de llevar al perro al veterinario para que le corten la cola.

—¿Por qué?... el perro no tiene problemas con la cola...

—¡Pero yo sí!... Tu madre viene mañana y no quiero ninguna manifestación de cariño en esta casa.

Un señor está triste y le dice un amigo:

—Oye, ¿qué te pasa?

Y le contesta:

—Es que casi atropello a mi suegra.

Y el amigo le dice:

—¿Qué pasó? ¿Te falló el freno?

—No, ¡el acelerador!

Martín estaba trabajando, cuando su jefe le pregunta:

—¿No va a ir al velorio de su suegra?

Y él le dice:

—No jefe, primero el trabajo, después la diversión.

A un hombre se le muere la suegra y se dirige al periódico para publicar el obituario. El hombre entra a la oficina de anuncios y dice:

—Quiero poner un anuncio por la muerte de mi suegrita.

Muy bien señor, le adelanto que son 100 pesos por palabra.

—Murió Josefina.

—Disculpe, creo que no me expliqué bien, son mínimo 5 palabras, o sea 500 pesos.

—Pero yo sólo quiero gastar 200 pesos.

—Ya le dije que no puede ser, así que si quiere se va un rato y vuelve con las 5 palabras...

El hombre se va molesto y regresa a los 10 minutos y dice:

—Ya sé que poner en el anuncio...

—Si, dígame...

—Murió Josefina...

—¿Y las otras 3 palabras?

—¡Vendo Toyota Corolla!

Un rico hacendado permanece de pie en el vestíbulo de su casa leyendo una carta con gesto sumamente preocupado.

"Señor, ya le hemos avisado más de una vez y usted parece no hacerse cargo de la situación en que se encuentra. Este es el último aviso: si en plazo de 24 horas usted no ha depositado los cincuenta millones donde usted ya sabe, nos veremos en la desagradable necesidad de proceder a soltar a su suegra".

Varias personas se detienen frente a un edificio de apartamentos atraídos por los gritos que vienen del balcón del séptimo piso. Se observa que un hombre trata de tirar a una anciana. La vieja se agarra con las últimas fuerzas de la baranda y grita. La gente empieza a protestar:

—¡Suelta a la pobre mujer! ¡Asesino!

—El hombre del balcón vocea:

—Es mi suegra.

Un minuto de silencio. Luego un hombre de la multitud comenta:

—¡Miren cómo se agarra esa desgraciada!

Una suegra decide un día saber si sus tres yernos la querían o si al menos la estimaban o por lo menos la respetaban.

Al día siguiente sale a dar un paseíto con su primer yerno, ella resbala y cae en un lago y se comienza a ahogar. El primer yerno sin pensarlo salta al agua y la rescata. Al día siguiente encuentra en la puerta de su casa un pequeño Peugeot 106 nuevo con una notita en el parabrisas que decía:

"Gracias de parte de tu suegra que te quiere".

Ella comienza la misma historia con el segundo yerno, de nuevo se resbala y cae en el lago y se comienza a ahogar y el segundo yerno también sin pensarlo dos veces salta al agua y la rescata. El también al día siguiente encuentra en la puerta de su casa un pequeño Peugeot 106 nuevo con una notita en el parabrisas que decía:

"Gracias de parte de tu suegra que te quiere".

Misma historia con el tercer yerno: salen a caminar, ella resbala y cae en el lago y se comienza a ahogar y el hombre la miraba ahogarse y le decía:

"¡Vieja bruja, hace años que soñaba con esto!"

Al día siguiente encontró en la puerta de su casa un Mercedes Benz 500 SL Class nuevo con una notita en el parabrisas que decía:

"Gracias de parte de tu suegro que te quiere".

El esposo le dice a su mujer:

—Vieja, tu mamá se cayó de la azotea hace media hora.

Y la esposa le dice:

—¿Por qué no me habías dicho antes?

—Es que no me aguantaba la risa.

Las suegras se inventaron, porque el Diablo no podía estar en todas partes.

Llega un tipo con un ataque de nervios a ver al psiquiatra y le dice:

—Doctor, llevo tres semanas de soñar que mi suegra viene a comerme cabalgando sobre un cocodrilo.

- Para hablar de lo que no estamos de acuerdo, primero debemos empezar a hablar de aquello que compartimos.

- Si estamos en desacuerdo con algo, no hay que quejarse sino buscar alternativas con las que podamos lograr un acuerdo.

- Evite la costumbre de decir a todo "no me gusta", "no quiero" y "esto está mal".

- Nunca piense que su pareja es un/a imbécil por opinar de cierta forma. Él o ella es así porque ha aprendido una serie de patrones, originados por su evolución y su educación, mismos que no puede evitar.

- No se aguante haciendo como si nada pasara, porque al final eso pasa factura; como anteriormente lo mencionamos, la represión de los sentimientos puede ocasionar serios problemas físicos, emocionales y psicológicos.

- Sea honesto y entienda que para llegar a un acuerdo, ambos deben ceder en beneficio de la pareja.

En las peleas de pareja nunca existe un ganador.

💡 *Sucede a veces que se discute porque no se llega a comprender lo que pretende demostrar nuestro interlocutor.*

León Tolstoi

💡 *Muchos gritan y discuten hasta que el otro calla. Creen que le han convencido. Y se equivocan siempre.*

Noel Clarasó

💡 *Jamás hay que discutir con un superior, pues se corre el riesgo de tener razón.*

Marco Aurelio Almazán

Capítulo 8:
La educación de valores

Qué son los valores familiares

Los medios de comunicación, la sociedad y el gobierno se han dado cuenta de que nuestra sociedad se encuentra en una severa crisis, pero esto no es exclusivo de un país, es una situación de orden mundial. Frecuentemente podemos ver en la televisión campañas que nos recuerdan hábitos y conductas que hemos olvidado. Pero, nadie nos explica ¿qué son los valores? ¿Qué significan estas palabras?

Los valores familiares son fuertes creencias personales acerca de lo que es importante y lo que no lo es; lo que es bueno y lo que es malo; lo que es correcto y lo que es incorrecto. Los valores son diferentes para cada país, ciudad, región, sociedad, familia e individuo, pues todos ellos tienen costumbres sociales, morales y culturales diferentes entre sí. Algunas familias incluyen honestidad y amistad como valores importantes. Otras familias eligen educación o cooperación como primera prioridad en sus valores familiares. Y existen familias que no se detienen a pensar sobre sus valores.

Los valores le dan significado y dirección a cada aspecto de la vida familiar.

Todo esto se refleja en todos los aspectos que involucran a una familia, y la mayoría de ellos se desarrollan viviendo en un núcleo familiar y cultura específica. En la medida que los niños crecen y se desarrollan, ellos son expuestos a los valores de otras personas (escuela, parques y otros eventos sociales). La diferencia entre valores puede llegar a ser confusa para los niños, es por eso que los padres necesitan hablar con ellos y decirles porqué son importantes estos aspectos particulares para toda la familia y fomentar el respeto a los valores de otras personas.

Los valores no son rígidos e inflexibles, ya que pueden variar durante toda nuestra vida; sin embargo, es la familia quien sienta las bases para que los valores de los niños se desarrollen cuando:

- Saben cuáles son sus valores
- Saben por qué fueron elegidos
- Hablan de los valores con sus hijos

Nos queda claro que la familia es la mejor institución y contexto en la que un individuo puede desarrollarse para alcanzar un equilibrio emocional, psicológico y educativo, además de superar las vicisitudes que la vida presenta. Sin embargo, la educación en valores adquiere diferentes matices y estilos en la aplicación, por tanto debemos partir del punto de que los valores son elementos centrales del sistema de creencias de las personas y se relacionan estrechamente con estados ideales de vida que responden a nuestras necesidades primarias como seres humanos, y al mismo tiempo nos proporcionan criterios que nos ayudan a evaluar a las demás situaciones e incluso a nosotros mismos.

Así que podemos establecer que los valores sirven para orientarnos en la vida permitiéndonos comprender a los que nos rodean, y al mismo tiempo son parte integral de la imagen que vamos construyendo de nosotros mismos así como de la forma de cómo nos percibimos en sociedad. Aunque la familia no es el único lugar en el cual se tiene la educación en valores, debido al ambiente de confianza e intimidad que en ella existe, adquiere una inmejorable importancia para cumplir esta tarea.

La importancia de la familia en los valores

Es la familia la parte medular en la enseñanza y educación de los hijos en los valores, además de ser determinante en la formación de nuestra personalidad. Las relaciones que se establecen entre los miembros de una familia son básicos en la adquisición de valores, afectos, actitudes y formas de conducta que el pequeño absorbe desde que llega a este mundo. Es por todo esto que la familia posee una importancia intrínseca, pues es el medio educativo más efectivo y al que debemos dedicarle el tiempo y esfuerzos necesarios.

Por lo tanto, el ambiente familiar es el compendio de relaciones establecidas entre los miembros de una familia que cohabitan en un mismo espacio; cada una de ellas experimenta estas relaciones de manera específica y esa es la razón por la cual cada una es diferente de otra, sin embargo, cuyas funciones educativas y afectivas poseen una importancia, pues los padres influyen de gran manera en el comportamiento de sus hijos. Es ahí, en la familia, donde se presenta una ambigüedad terrible, pues aun cuando unas poseen un ambiente familiar estable y amoroso, que fomenta el sano desarrollo psicológico, emocional y físico del niño, otras en cambio, se desarrollan en un ambiente hostil y con relaciones interpersonales llenas de asperezas y agresiones, lo que lleva al niño a desarrollarse de manera agresiva, lleno de carencias afectivas y sin un modelo de conducta que le permita crecer sano en todos los aspectos.

El ambiente familiar no se desarrolla de manera benéfica por puro azar, es lógica consecuencia de las interacciones y aportaciones de todos sus miembros, en especial, de los padres, pues los integrantes de dicho núcleo son los que crean el ambiente y de la misma manera lo pueden modificar, por lo que a su vez, el ambiente debe ser capaz de modificar las conductas equivocadas de los pequeños, y asimismo, maximizar todas aquellas conductas que son correctas. Sin embargo, para que el ambiente familiar logre cumplir su cometido como influencia benéfica sobre el comportamiento de los niños que habitan en dicho núcleo, es imperativo que la siguiente lista tenga su propio espacio y representación:

1. AMOR: Es un hecho innegable que los padres sentimos amor por nuestros hijos, pero de eso a que les demostremos de manera correcta ese amor, hay mucha diferencia, aunque la verdadera importancia radica en que nuestro vástago se sienta completamente amado. Pero no basta llenarlo de palabras que intenten convencerlo de eso,

es menester demostrarle que lo sentimos y que su felicidad es nuestro primordial interés; hagámosle sentirse seguro, apoyado y reconocido, que cuenta con nuestra ayuda en cualquier cosa que necesite.

La mejor manera de mostrarle a nuestro hijo el amor que sentimos por él es mostrando interés por todas sus cosas, pregunte qué es lo que le gusta, sus aficiones y una vez que lo sepa, no se desespere, muestre comprensión y paciencia. Si usted muestra renuencia a los intereses de su hijo, es muy posible que éste acabe alejándose y no vuelva a confiar completamente en usted.

2. PARTICIPACIÓN: Mandar y dar órdenes no es ejercer la autoridad como padres, no, es imprescindible que los progenitores sepan cómo hacerlo por el bien de sus hijos y las relaciones con ellos, pues la autoridad es un derecho, así como una obligación que deriva de nuestra tarea como padres dentro de la educación de nuestros menores hijos. Sin embargo, para que la autoridad funcione como es debido, deberá ser ejercida de manera persuasiva si sus hijos son pequeños, y buscando ejercerla de manera participativa cuando estos ya son mayores. Resultará muy difícil y seguramente le traerá muchos problemas toda aquella orden que no tenga una razón que la respalde, o que no haya tomado en cuenta el sentir u opinión de sus hijos.

3. SERVICIO: El servicio que prestamos los padres a los hijos, es relativo a la finalidad de nuestra autoridad y relaciones generales, pues los padres debemos luchar por la felicidad de nuestros vástagos con la idea de que su vida sea completamente feliz y plena, sin llegar a utilizar nuestro poder sobre ellos para aprovecharnos o sacar ventaja sobre nuestros hijos.

4. POSITIVISMO: Siempre debemos hacer lo posible por que el trato hacia nuestros hijos sea positivo, en otras palabras, amoroso, agradable, que transmita seguridad y sea constructivo, ya que es muy frecuente que nuestros hijos escuchen de nuestra propia boca muchas más críticas que palabras de reconocimiento; sin embargo, esto no es correcto. No sólo debemos halagar a nuestros hijos, sino a todos y cada uno de los miembros que integran nuestra familia, olvidándonos de mencionar todos los defectos que observamos gracias a nuestros aires de grandeza y que nos muestra con lujo de detalles todos los defectos de nuestros semejantes. Tengamos mucho cuidado con lo que les decimos, pues podríamos dañar su autoestima y resulta muy difícil restaurarla.

5. CONVIVENCIA: Es menester que en pro de lograr un ambiente familiar sano y propicio para el desarrollo de nuestros hijos, podamos contar con suficiente tiempo para compartir con ellos. Aunque esto no depende directamente de nosotros, y

en algunas ocasiones resulta sumamente complicado hacerlo, es necesario para lograr la convivencia y el amplio conocimiento de nuestra familia, sus gustos, aficiones, preocupaciones e intereses, además de la diversión conjunta. Realmente no es necesario tener muchísimo tiempo, pues es mejor calidad que cantidad, pues de nada sirve que tengamos horas y horas disponibles, y que cuando ellos nos hablen nosotros nos distraigamos con la televisión o hablando por teléfono. Mejor es que les dedique el tiempo que le sea posible pero poniéndole toda su atención, que su hijo se sienta amado y que le importa.

Si usted logra conjuntar en armonía estos puntos anteriores, y los cumple poniendo en ellos su mejor esfuerzo y atención, mejorará significativamente el ambiente en el que su hijo se desarrolla y por lo tanto, su educación. Gracias al ejemplo de los padres, su hijo podrá obtener de primera mano y de manera correcta, la información acerca de conductas y valores adecuados.

Todo esto le brindará las siguientes ventajas:

Permitirle a su hijo formarse una opinión propia acerca de su persona a través de opiniones, reacciones y juicios de valores de sus padres, además de la calidad del trato que le dan.

Permitirle a su hijo el sano desarrollo de su confianza en sí mismo y su autoestima por medio de las relaciones plenas de afecto, amor y cariño, además de que el reconocimiento es básico para estos fines. Todo lo anterior le proporciona al niño la satisfacción de sus necesidades de aceptación, afecto y seguridad.

LOS HÁBITOS FAMILIARES SON
TRANSMISORES DE VALORES

La educación en valores ya forma parte de la enseñanza escolar, sin embargo no es suficiente, pues la educación permanece a nivel teórico, lo cual no sirve de nada, pues es muy común que los niños vean a sus padres manejando sin tener la menor consideración por los que lo rodean o como olvidan ceder el asiento cuando una persona mayor o una mujer lo necesiten.

Aunque si bien es importante que la educación en valores sea impartida en la escuela, es más importante enseñar a nuestros hijos por medio del ejemplo. El reto en las sociedades actuales es enseñar a los niños a comportarse como seres humanos y no hacerlos aprender de memoria fechas y hechos históricos sin ton ni son, es por eso que la familia se convierte en un instrumento educativo básico y primordial.

Vemos que es en el hogar donde en realidad se forman nuestros niños, no sólo de lo que les decimos, sino de lo que

ellos ven en nosotros, cómo actuamos, cómo nos comporta-
mos ante los problemas. En pocas palabras los niños imitan
los procesos de sus padres ante la vida. Es por eso que afir-
mamos que la educación en valores no se diseña, sino que
más bien se transmite, esta labor comienza desde el mismo
día del nacimiento de nuestros niños y hasta al final de su
vida, y tiene su importancia durante sus primeros años, pues
es hasta los seis o siete años de edad que los niños poseen
una moral denominada "heterónoma", esto significa que su
proceder responde a la forma en que sus padres desearían
que lo hiciera, por lo que las palabras de sus padres son,
hasta ese momento, la verdad absoluta. Cuando van cre-
ciendo comprenden de mejor manera qué forma de actuar
es conveniente y cual no, sin embargo, la guía de su proceder
sigue siendo el ejemplo que reciben en casa, esta etapa dura
aproximadamente hasta los 12 años.

LOS VALORES DE LA FAMILIA

HONESTIDAD

La honestidad es la cualidad humana por la cual una persona determina elegir su proceder siempre con base en la
verdad y la justicia, dando a cada quien lo que le corresponda —incluyendo a sí misma. Actúa de acuerdo a sus valores
eligiéndose como una persona genuina, auténtica y objetiva.
Una persona honesta muestra respeto por sí mismo y por los
demás, así como su forma de actuar o pensar. Su proceder
basado en la justicia siempre da confianza en todos aquellos
que les rodean, pues este valor no sólo consiste en la fran-
queza sino en un proceder libre de arbitrariedad y perjuicios.

La honestidad no es sólo respetar los bienes de los demás, ya que la honradez es solamente una consecuencia lógica de ser honesto y justo. Es mostrar respeto por la conducta, ideología, sentimientos y proceder de todas las personas que nos rodean, así como de nosotros mismos; además implica el análisis sincero de nuestros sentimientos y su aplicación para el bien de los demás y el propio. Ser honesto no significa que debamos develar nuestros sentimientos o intimidad con cualquiera, sino hacerlo con las personas adecuadas de los momentos correctos, sin caer en una actitud cínica en la que

Una familia con valores, es una familia unida.

vociferemos qué tan buenos somos o qué tan honestamente vivimos, recuerde la célebre frase: "Tus hechos hablan más fuerte que tus palabras".

La honestidad es un valor que se debe tomar muy en cuenta, ya que mucho del estado actual de nuestra sociedad comenzó con una pequeña falta de honestidad. Debemos reconocer que es un valor primordial para las relaciones humanas, amistad y vida en sociedad. Una persona deshonesta es vista como un ser falso, injusto y que no merece ninguna confianza.

Una persona deshonesta no se respeta a sí misma, actuando siempre de manera oculta en la que pretende ser digno de confianza; sin embargo, este tipo de personas aprovechan la menor oportunidad para traicionar y engañar. Una persona deshonesta dentro de la familia impide el sano desarrollo de la misma, no respeta bienes materiales o morales, por lo que nunca será digna de confianza. Como familia debe evitar siempre fallar en este valor, pues en él se basa gran parte de la relación entre sus integrantes.

Proceder con honestidad en aras de la dignidad del hombre es el compromiso más trascendente en nuestro corto paso por este mundo.
René Gerónimo Favaloro

La honestidad es la mejor política.
Benjamin Franklin

Lo que las leyes no prohíben, puede prohibirlo la honestidad.
Lucio Anneo Séneca

Las honestas palabras nos dan un claro indicio de la honestidad del que las pronuncia o las escribe.
Miguel de Cervantes Saavedra

Honestidad: la mejor de todas las artes perdidas.
Mark Twain

El secreto de la vida es la honestidad y el juego limpio. Si puedes simular eso, lo has conseguido.
Groucho Marx

Desconfiad de la mujer que habla de su virtud y del hombre que habla de su honestidad.
Proverbio eslavo

El beso es la válvula de escape de la honestidad.
Paul Géraldy

Siempre di lo que sientes y haz lo que piensas.
                              Gabriel García Márquez

Este es el primer precepto de la amistad: Pedir a los amigos sólo lo honesto, y sólo lo honesto hacer por ellos.
                              Marco Tulio Cicerón

Sólo hay una forma de saber si un hombre es honesto: preguntárselo. Y si responde "sí", entonces sabes que está corrupto.
                              Groucho Marx

Nunca pertenecería a un club que admitiera como socio a alguien como yo.
                              Groucho Marx

A quien procede con honradez, nada debe alterarle. He hecho cuanto he podido y jamás he faltado a mi palabra.
                              Manuel Belgrano

No hay cosa honesta que no sea útil.
                              Séneca

Fingimos lo que somos, seamos lo que fingimos.
                              Pedro Calderón de la Barca

Nada se parece más a un hombre honesto que un pícaro que conoce su oficio.
                              George Sand

Una mujer honesta es un tesoro oculto que quien lo ha hallado, hará muy bien en no pregonarlo.

La Rochefoucauld

De la honestidad, como del amor, se han dicho ya tantas frases que si digo que esta es mía me van a acusar de deshonesto.

Anónimo

Del amor y la honestidad, no se ha dicho la última palabra.

Anónimo

Capítulo 9:
La responsabilidad

La responsabilidad es un valor que se detecta a simple vista, lo mismo que su antivalor: la irresponsabilidad. Estoy seguro de que usted ha sufrido más de un caso de irresponsabilidad, seguramente el mecánico dijo que tendría su auto listo para cierto día y le quedó mal, su hijo que le prometió buenas calificaciones y falló, el funcionario público que prometió mejoras en su comunidad y no cumplió. Todos esos son ejemplos de falta de responsabilidad. Sin embargo, aunque es sencillo observarla es un poco más complicado definirla, aunque es un elemento indispensable dentro de las a las relaciones humanas y familiares.

Comenzaremos mencionando que uno de los requisitos indispensables de este valor es cumplir con nuestros deberes. La responsabilidad es sinónimo de obligación, sin importar que sea del tipo moral o física, es cumplir con todo aquello a lo que nos hemos comprometido. Obviamente cumplir una obligación no es algo que nos agrade, ya que implica cierto esfuerzo; sin embargo, el incumplimiento de la misma tiene implicaciones directas en la confianza; cuando alguien no cumple lo que promete, su credibilidad y la confianza que tienen en esa persona se ve devaluada, por ejemplo, un marido que ha prometido fidelidad a su esposa pero que le ha engañado pierde completamente su credibilidad y la confianza depositada en él.

La responsabilidad da madurez, pues es común que las tentaciones de cualquier tipo hagan que las personas se olviden de cumplir con sus obligaciones; en el ejemplo anterior, vimos cómo una promesa que debía ser vitalicia fue rota por algunos instantes de diversión. Cuando se detecta la irresponsabilidad en una persona es muy sencillo que pierda la confianza. La falta de este valor tiene sus inicios en la falta de prioridades ordenadas de manera correcta, por ejemplo, el hijo que debía ordenar su cuarto y hacer su tarea, prefiere salir a jugar y ver televisión ya que éstas son sus prioridades, por supuesto, ordenadas de manera incorrecta.

Evitando caer en la inflexibilidad, todos podemos tolerar de vez en cuando cierta irresponsabilidad, pero no lo haremos de manera prolongada, pues debemos recordar que en cualquier tipo de relación, ya sea laboral, familiar o amistosa, este valor resulta fundamental. En las relaciones familiares sucede que a veces los hijos supeditan su responsabilidad a que los demás también la cumplan, y muchas veces en el caso de la pareja se presenta esta situación; por ejemplo, el marido prometió llevar a la esposa de paseo y no cumplió, por tanto la esposa tampoco cumple su promesa de prepararle aquel platillo que tanto le gusta a su cónyuge. Como podemos apreciar, la responsabilidad es un valor que no puede estar supeditado al proceder de los demás, ya que es un valor personal que debe ser cumplido por el bienestar de los demás y de uno mismo.

Aunque la responsabilidad es un valor que nos permite convivir en la ciudad de manera pacífica y equitativa, básicamente significa cumplir con lo que se ha prometido, pues su incumplimiento tiene consecuencias, en el caso más extremo, la irresponsabilidad pudiera ser castigada por la ley. Sin embargo, no cabe duda que la aplicación de este valor de manera más inmediata y sutil es la del plano moral. Esta faceta de la responsabilidad es la que aplicamos constantemente con todos los que nos rodean, un ejemplo muy frecuente de lo anterior es cuando hacemos una promesa a nuestros hijos y no lo cumplimos o cuando ellos nos hacen una promesa y nos fallan. En ambos casos, la credibilidad y la confianza comienzan a devaluarse, llegando en algunos casos a tener repercusiones tan severas como la desintegración del núcleo familiar.

Debemos ser responsables y asumir las consecuencias de las acciones y decisiones, tratando de que nuestro proceder se vea imbuido de justicia y equidad. Dentro de este valor se encuentra la piedra angular en la cual nuestras relaciones están construidas.

Eduque con el ejemplo.

Si usted quiere que sus hijos tengan los pies sobre la tierra, colóqueles alguna responsabilidad sobre los hombros.

Abigail Van Buren

La libertad significa responsabilidad. Es por eso que la mayoría de los hombres la ignoran.

George Bernard Shaw

Cuidado, responsabilidad, respeto y conocimiento son mutuamente interdependientes.

Erich Fromm

Las leyes de la herencia son un fenómeno maravilloso que nos exime de la responsabilidad de nuestras deficiencias.

Doug Larson

Sólo los necios confunden la carga de su estulticia con el peso de la responsabilidad.

Pascual Candel Palazón

Culpar a los demás es no aceptar la responsabilidad de nuestra vida, es distraerse de ella.

Facundo Cabral

Todos estos días actuaron con responsabilidad y seriedad sobre la cuestión.

Nikos Kazantzakis

*No busquemos solemnes definiciones de la libertad.
Ella es sólo esto: Responsabilidad.*
George Bernard Shaw

Hasta que quienes ocupan puestos de responsabilidad no acepten cuestionarse con valentía su modo de administrar el poder y de procurar el bienestar de sus pueblos, será difícil imaginar que se pueda progresar verdaderamente hacia la paz.
Juan Pablo II

A través de la paz interior se puede conseguir la paz mundial. Aquí la responsabilidad individual es bastante clara ya que la atmósfera de paz debe ser creada dentro de uno mismo, entonces se podrá crear en la familia y luego en la comunidad.
Dalai Lama

Quien es auténtico, asume la responsabilidad por ser lo que es y se reconoce libre de ser lo que es.
Jean Paul Sartre

El precio de la grandeza es la responsabilidad.
Winston Churchill

Es más complejo que pararse y posar, no es mirar y disparar, no es sólo responsabilidad del fotógrafo, los humanos son complejos, la fotografía también.
Andrew Morales

Tengo otro deber igualmente sagrado (que la responsabilidad): mi deber conmigo mismo.

Henrik Johan Ibsen

La libertad supone responsabilidad. Por eso la mayor parte de los hombres la temen tanto.

George Bernard Shaw

La mejor forma de rehuir la responsabilidad consiste en decir: "Tengo responsabilidades".

Richard Bach

En los sueños comienza la responsabilidad.

William Butler Yeats

Las imágenes de Inconsciente ocupan una gran responsabilidad en el Ser Humano. La falla en entenderlas o la evitación de la responsabilidad ética, priva al Ser Humano de su totalidad y le impone penosos fragmentos de su vida.

Carl Jung

He visto a un gerente empinado en un árbol. Cada rama temblaba bajo la carga de responsabilidad.

Valeriu Butulescu

Convidar es asumir la responsabilidad del bienestar del convidado durante el tiempo que está bajo nuestro techo.

Anthelme Brillat-Savarín

Un *poder situado por encima de toda responsabili-*
dad humana debe estar fuera del alcance de todo ser
humano.

Charles Caleb Colton

La asunción de la responsabilidad de los errores de
nuestros padres produce alabanzas. Los esfuerzos por
salvar de la decadencia a los suyos, merece todo tipo
de aclamación.

I CHING

Aplica una educación ambientalista y formaras res-
ponsabilidad.

Jean Acosta Alviar

No puedes escaparte de la responsabilidad de mañana
al evadirla hoy.

Abraham Lincoln

El verdadero buscador crece y aprende, y descubre que
siempre es el principal responsable de lo que sucede.

Jorge Bucay

Uno es para siempre responsable de lo que domestica.

Antoine de Saint-Exupery

Capítulo 10:
Sensibilidad

Todos los seres humanos tenemos la capacidad de percibir y comprender el estado de ánimo, personalidad y proceder de las personas que nos rodean, así como la naturaleza de las circunstancias y los ambientes, y la aplicamos para actuar de manera acorde al beneficio común. Mas no debemos confundir sensibilidad con sensiblería, ya que ésta última nada tiene qué ver, es una señal de banalidad y cursilería, una forma sencilla de impactar a los demás con algo que no somos. Sin embargo, todos en nuestras vidas hemos sentido la necesidad de afecto, comprensión y cuidados. Es difícil encontrar a quien corresponda a nuestras necesidades, es ahí donde entra en juego la sensibilidad, ya que nos permite identificar a esa persona que podría llenar el espacio que necesitamos llenar.

La sensibilidad nos requiere a permanecer en un constante estado de alerta que nos permita enterarnos de todo lo que nos rodea, y es mucho más profunda que un simple estado de ánimo. Aunque muchas personas califican a este valor como señal de debilidad, esto dista mucho de ser así.

Observemos al padre que lleva a sus hijos a la escuela por primera vez, cómo se le salen las lágrimas al ver que se introducen en ella sus pequeños; el jefe que da el día libre a la mujer que tiene un hijo enfermo; la mujer que llora cuando su marido le trae una rosa. Todos somos sensibles, la diferencia es que a muchos nos avergüenza demostrarlo.

Muchas personas prefieren mostrar que son duras e insensibles, pues eso les permite permanecer ajenos a cualquier responsabilidad que la sensibilidad les implicara. Es por eso que a este tipo de personas les incomodan los problemas de los demás, y permanecen ajenos cuando alguien necesita de su apoyo o su ayuda. En situaciones así, es cuando aparece el antivalor de la sensibilidad: la indiferencia. Este antivalor es en parte responsable de las cosas que nos suceden actualmente como sociedad, ya que al abstraernos del resto del mundo y enclaustrarnos en nuestra casa vamos perdiendo el contacto humano, así que cuando alguien necesita ayuda, ignoramos la situación de manera deliberada; sin embargo, no debe extrañarnos que cuando nosotros necesitemos ayuda, nadie esté ahí para brindarnos su mano.

Cuando se lleva este antivalor a la vida en familia, ponemos a sus integrantes en peligro, pues en el caso de nuestros hijos, pudieran involucrarse en problemas drogas y nunca nos enteraríamos. Sobre todo en estos días en que la tecnología se encuentra tan avanzada, el internet es una bendición o una maldición según sea utilizada, y nuestros hijos están expuestos a ella, es por eso que debemos permanecer atentos a los lugares que entran o sitios que visitan, de esa forma los podremos educar y apoyar para que permanezcan a salvo.

Evitemos a toda costa la falta de sensibilidad, pues como sociedad, nos estamos autoinfringiendo heridas que podrían no sanar y llevarnos a momentos sumamente complicados. La apatía y la indiferencia llegan a todos lados y una vez que lo han hecho resulta muy complicado sacarlas de ahí, volviéndonos insensibles en muchos aspectos y con quienes amamos; además de que cambian nuestros valores y nuestros hábitos, permitiendo que nuestra vida transcurra sin

Ser sensible no es ninguna vergüenza.

una finalidad noble. Recuerde la frase de la madre Teresa de Calcuta: "quien no vive para servir, no sirve para vivir".

💡 *Donde hay más sensibilidad, allí es más fuerte el martirio.*

Leonardo Da Vinci

💡 *La sensibilidad es una riqueza cuyo dueño siempre desea compartir.*

José Narosky

💡 *Es bastante sencillo ver la vida carente de valores. De hecho, la gente con algo de sensibilidad no tiene dificultad en verla así.*

Yukio Mishima

💡 *Las tonterías dejan de serlo cuando son realizadas de forma atrevida por gente con sensibilidad.*

Jane Austen

💡 *El idioma del corazón es universal: sólo se necesita sensibilidad para entenderle y hablarle.*

Jacques Duclós

💡 *Los hombres de acción, si tuvieran sensibilidad, no serían hombres de acción. No podrían hacer nada. La sensibilidad es el disolvente de la acción.*

Azorín

En las horas graves, las mujeres inspiran por la sensibilidad, por la pasión y por la iniciativa, superior a la de
los hombres.

Jules Michelet

La sensibilidad levanta una barrera que no puede
salvar la inteligencia.

Azorín

Una memoria ejercitada es guía más valiosa que el
genio y la sensibilidad.

J. C. Friedrich von Schiller

Lo contrario del amor no es el odio, sino la indiferencia.

Anónimo

A veces, la indiferencia y la frialdad hacen más daño
que la aversión declarada.

J. K. Rowling

Prefiero los errores del entusiasmo a la indiferencia de
la sabiduría.

Anatole France

Nos escondemos en la fría indiferencia al sufrimiento
innecesario de otros, incluso cuando lo causamos.

James Carroll

La tolerancia y la paciencia son mucho más profundas
y efectivas que la mera indiferencia.

Dalai Lama

🔆 *¡La fuerza de la indiferencia!, es la que permitió a las piedras perdurar inmutables durante millones de años.*

Cesare Pavese

🔆 *A un gran corazón, ninguna ingratitud lo cierra, ninguna indiferencia lo cansa.*

León Tolstoi

🔆 *Esa rápida alternancia de broma y seriedad, de interés e indiferencia, de pesar y alegría, parece ser un rasgo típico del carácter irlandés.*

Johann Wolfgang Von Goethe

🔆 *Lo que distingue a un gran artista de un mediocre es, primero su sensibilidad, segundo su imaginación y tercero su aplicación.*

Salman Rushdie

🔆 *Uno de los signos de los tiempos es la indiferencia por el mañana. Nadie sabe en qué consistirá mañana la vida. Esta incertidumbre perpetua agota los nervios, al punto en que no encontramos nada que valga la pena. Ante eso, (en tiempos modernos) Chaplin nos dice que no desesperemos, ya que aunque haya que andar por esos caminos, vale la pena hacerlo si son dos los que andan.*

Carl Theodor Dreyer

🔆 *La indiferencia hace sabios y la insensibilidad monstruos.*

Denis Diderot

La indiferencia del mexicano ante la muerte se nutre de su indiferencia ante la vida.

Octavio Paz

Capítulo 11:
Crítica constructiva

Este valor se basa en la voluntad de ayudar a los demás por medio de un discernimiento con el cual lográramos nuestro cometido. Debiera ser considerado como una señal de madurez, responsable y respetuosa hacia quien se dirige; sin embargo, no todos estamos dispuestos a recibirla y menos a aceptarla. La intención de la crítica constructiva es favorecer las condiciones de la persona a quien la dirigimos para que logre hacer un cambio benéfico en determinadas circunstancias, y con plena consciencia y sentido de respeto.

Este valor, aplicado de manera correcta y puntual, debe fortalecer los lazos de amistad, lealtad, humildad, respeto y amistad. Cuando se pretenda expresar una crítica, es menester dejar bien establecido que nuestra motivación no es otra que ayudar a esa persona a salir de un error o mejorar en aspectos que pudieran estar equivocados; de no hacerlo, se corre el riesgo de que la persona criticada sienta que está siendo atacada y responda de manera poco favorable, respondiendo con violencia física o verbal a nuestras buenas intenciones.

Ates de poder emitir una crítica debemos estar seguros de que nuestra finalidad es honesta y desprovista de cualquier malicia, por ejemplo, solemos criticar a nuestros compañeros de trabajo porque no nos caen bien, porque no trabajan como nos gustaría que lo hicieran, porque se llevan mejor con el jefe, porque ganan más o simplemente porque estamos de mal humor. Todas estas razones no son válidas, pues son pronunciadas de manera visceral y con malicia. Para evitar estos problemas, debemos siempre ser autocríticos y preguntarnos las verdaderas razones por las cuales estamos expresando estas palabras. Asimismo, debemos practicar el ejercicio de la autocrítica con regularidad, siendo honestos con nosotros mismos, evaluando con humildad y valor nuestro modo de ser, permitiendo que se concreten los verdaderos objetivos de nuestro análisis.

Antes de hablar se debe reflexionar concienzudamente los motivos y sentimientos que nos llevan a hacerlo, pues

Los chismes no son crítica constructiva.

una vez que abrimos la boca ya no hay vuelta atrás. Debemos recordar que una vez que hagamos una crítica, también debemos estar dispuestos a ser criticados: "con la vara que midas serás medido" y "el pez por su boca muere".

La crítica es producto de la envidia, debería ser diferente: los consejos se piden con una pregunta, no con una crítica.

Nilson Andrade

Uno está tan expuesto a la crítica como a la gripe.

Friedrich Dürrenmatt

La crítica convertida en sistema es la negación del conocimiento y de la verdadera estimación de las cosas.

Henry Frédéric Amiel

Nuestra crítica consiste en reprochar a los demás el no tener las cualidades que nosotros creemos tener.

Jules Renard

La mejor crítica es la que no responde a la voluntad de ofensa, sino a la libertad de juicio.

Fernando Sánchez Dragó

La crítica es la fuerza del imponente.

Alphonse De Lamartine

Siempre se debe preferir la acción a la crítica.

Theodore Roosevelt

🔆 *La función última de la crítica es que satisfaga la función natural de desdeñar, lo que conviene a la buena higiene del espíritu.*

Fernando Pessoa

🔆 *La crítica literaria suele proceder de déficit de amor.*

George Steiner

🔆 *La crítica teatral tiene una ventaja en comparación con el suicidio: en el suicidio uno la toma contra uno mismo, en la crítica teatral la toma contra cualquier otro.*

George Bernard Shaw

🔆 *La crítica debe hacerse a tiempo; no hay que dejarse llevar por la mala costumbre de criticar sólo después de consumados los hechos.*

Mao Tse Tung

🔆 *La crítica es un estudio por medio del cual los hombres se vuelven importantes y formidables a muy poco costo.*

Ben Johnson

🔆 *El resentimiento, la crítica, la culpa y el miedo aparecen cuando culpamos a los demás y no asumimos la responsabilidad de nuestras propias experiencias.*

Louise Hay

🔆 *A mujer bonita o rica, todo el mundo la critica.*

Refrán

No debemos creer demasiado en los elogios. La crítica a veces es muy necesaria.
Dalai Lama

La ciencia debe comenzar con los mitos y con la crítica de los mitos.
Karl Popper

En cierto modo, el arte es una crítica de la realidad.
Arturo Graf

Lo que hacemos no es nunca comprendido, y siempre es acogido sólo por los elogios o por la crítica.
Friedrich Nietzsche

Ordenar bibliotecas es ejercer de un modo silencioso el arte de la crítica.
Jorge Luis Borges

Cada vez que emites un juicio o una crítica, estás enviando algo que terminará por volver a ti.
Louise Hay

Nada suena tan estridente a los oídos del autor como el silencio de la crítica.
Anónimo

¡Cuánta confianza nos inspira un libro viejo del cual el tiempo nos ha hecho ya la crítica!
James Russell Lowell

Refinada soberbia es abstenerse de obrar por no expo-
nernos a la crítica.

Miguel De Unamuno

Ningún escritor joven desea tanto la crítica constructiva como la alabanza.

William Hill

Exposición, crítica y apreciación son labores de mentes
de segunda fila.

Godfrey H. Hardy

Las críticas no son otra cosa que orgullo disimulado.
Un alma sincera para consigo misma nunca se rebaja-
rá a la crítica. La crítica es el cáncer del corazón.

Madre Teresa de Calcuta

Quien se enfada por las críticas, reconoce que las tenía
merecidas.

Cayo Cornelio Tácito

Las críticas no serán agradables, pero son necesarias.

Winston Churchill

Criticar es más fácil que imitar.

Refrán

Tiene derecho a criticar, quien tiene un corazón dispuesto a ayudar.

Abraham Lincoln

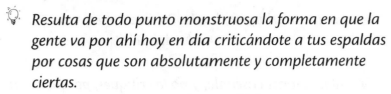 Resulta de todo punto monstruosa la forma en que la gente va por ahí hoy en día criticándote a tus espaldas por cosas que son absolutamente y completamente ciertas.

Oscar Wilde

Un mal escritor puede llegar a ser un buen crítico, por la misma razón que un pésimo vino también puede llegar a ser un buen vinagre.

François Mauriac

Cuando nos enfocamos en criticar los errores de los demás, descuidamos nuestro propio desarrollo. Si algo te molesta de alguien, pregúntate si tú no haces lo mismo, algunas veces.

Michel Tanus Cruz

El crítico es un hombre que espera milagros.

James Gibbons Huneker

Si se te ocurre alguna vez criticar a un colectivo, siempre serán sus peores representantes los que se den por aludidos, y, para disimular, te acusarán de calumniar precisamente a aquellos en los que no pensabas al formular tu juicio.

Arthur Schnitzler

La gente te pide críticas, pero en realidad sólo quiere halagos.

William Somerset Maugham

💡 *Lo que te critiquen, hazlo. Porque eso eres tú.*
André Gide

💡 *Al ignorante enséñale, y no le critiques, porque cuando te pregunten y no le respondas satisfactoriamente, serás victima de tus propias habladurías.*
Hersson Piratoba

Capítulo 12:
Compasión

Al igual que la sensibilidad, todos tenemos la capacidad de sentir compasión. Sin embargo, esa capacidad de conmovernos ante circunstancias que afectan a los demás se va mengando de manera progresiva, aparentando ser compasivos sólo de manera esporádica o conveniente. No nos percatamos que si no recuperamos esa capacidad de manera inmediata, estaremos imposibilitados para revertir todo el mal y el daño que corroe a nuestra sociedad, exponiendo a nuestra familia a que sea tocada por estos terribles contaminantes morales y físicos.

La compasión es la capacidad de sentir y compartir con los demás sus problemas y tropiezos personales, materiales y espirituales por los que atraviesan, con el único interés de apoyarles y actuar de manera que se les facilite atravesar las vicisitudes en las que se encuentran en ese momento. Recordemos que las desgracias no tienen honor ni horario, así que la compasión es el vínculo que nos une con todas esas personas que han sufrido los embates de la naturaleza o el hombre. Este valor nos permite unirnos y realizar acciones en pro de esas personas, realizando colectas, campañas o ayuda directa para auxiliar en las labores humanitarias.

Pero, así como es importante sentir compasión, debemos estar atentos para no confundirla con lástima, pues son completamente diferentes.

La lástima es en parte la causante de que muchas personas prefieran mantenerse alejadas de causas humanitarias o grupos de ayuda a personas en desgracia, ya que por medio de la lástima, muchos truhanes han logrado hacer del engaño su modo de vida. Seguramente ha visto en algún crucero a un hombre en silla de ruedas que pide dinero para ayudarse a sufragar sus gastos diarios para sobrevivir, pero si pasa unas horas después, puede ver cómo se levanta de la silla y se sube a su auto como si milagrosamente se hubiera curado. Este hombre recurre a la lástima para conseguir dinero, por lo cual es necesario diferenciarla de la compasión.

Es importante fomentar la compasión en nuestra familia, pues nunca sabemos qué podría pasarnos y cuándo necesitaremos la ayuda de los demás, además, este valor ayuda a desarrollar una verdadera vocación de servicio. Esto podemos apreciarlo en nuestra vida diaria, tal vez con pequeñas muestras, pero que nos indican que no hemos olvidado tan importante valor.

Muestre a su familia cómo se fomenta este valor al realizar una visita a un amigo o familiar que ha sufrido un accidente o esté enfermo, mostrando un sincero interés en su restablecimiento y muestre solidaridad. Como padres, debemos mostrar comprensión y compasión ante las faltas de nuestros hijos. Recuerde que también tuvo su edad y cometió sus propios errores. Reprenda y corrija sin excederse o siendo cruel.

Desarrollando la compasión reafirmamos otros valores: como la generosidad y el servicio al disponer de nuestros recursos o tiempo en pro de los demás, sin hacer distinción entre las personas por su condición (humildad); siendo solidarios con los demás por tomar en nuestras manos sus problemas; ejercitamos la comprensión al ponernos en el lugar de otros, y así descubrimos el valor de la ayuda desinteresada.

Este valor nos enriquece porque va más allá de los acontecimientos y las circunstancias, con la única finalidad de descubrir a las personas, sus necesidades y padecimientos, con una actitud permanente de servicio, ayuda y asistencia, haciendo a un lado el inútil sentimiento de lástima, la indolencia y el egoísmo.

La compasión es un gran tesoro.

💡 *El día en que dejemos de mostrar compasión hacia nuestro enemigo, nosotros seremos el enemigo.*
Friedrich Schiller

💡 *Los celos son el mayor de los males, y el que menos mueve a compasión a la persona que los causa.*
François de la Rochefoucauld

💡 *Envejecer es pasar de la pasión a la compasión.*
Albert Camus

💡 *¡Quién necesita piedad, sino aquellos que no tienen compasión de nadie!*
Albert Camus

💡 *Nuestra tarea es la de liberarnos... mediante la extensión de nuestro círculo de compasión hasta que contenga a todas las criaturas vivientes, la naturaleza entera y su belleza.*
Albert Einstein

💡 *Me recuerdo claramente. Antes de experimentar compasión por los hombres, experimenté en mí mismo la vergüenza. Tenía vergüenza de ver el sufrimiento de los hombres y de esforzarme por transformar todo ese horror en un espectáculo efímero y vano.*
Nikos Kazantzakis

💡 *Las mentes más profundas de todos los tiempos han sentido compasión por los animales.*
Friedrich Nietzsche

Repudio a los misericordiosos que se complacen en su compasión; les falta vergüenza.

Friedrich Nietzsche

Preferiría cometer errores con gentileza y compasión antes que obrar milagros con descortesía y dureza.

Madre Teresa de Calcuta

Su espíritu había perecido ahogado en su compasión; y cuando engrosaba y se desbordaba su compasión, siempre sobrenadaba una gran estupidez.

Friedrich Nietzsche

Mientras el círculo de su compasión no abarque a todos los seres vivos, el hombre no hallará la paz por sí mismo.

Albert Schweitzer

Humana cosa es tener compasión de los afligidos; y esto, que en toda persona parece bien, debe máximamente exigirse a quienes hubieron menester consuelo y lo encontraron en los demás.

Giovanni Boccaccio

El hombre puede expulsar a la compasión de su corazón, pero Dios nunca lo hará.

William Cowper

Todo amor genuino es compasión, y todo amor que no sea compasión es egoísmo.

Arthur Schopenhauer

No creo que existan reglas sobre los asuntos del amor y la cantidad de compasión que conllevan.

Arthur Miller

Si conociéramos el verdadero fondo de todo tendríamos compasión hasta de las estrellas.

Graham Greene

Capítulo 13:
Paciencia

El ritmo actual en el que se desarrollan nuestras vidas nos lleva a una vorágine de actividad y neurosis. Todos parecemos vivir aprisa, resolvemos nuestros asuntos personales, familiares y laborales con tal apuración que se han convertido en actos impersonales. Y todo esto sucede con una rapidez pasmosa que pareciera no ser suficiente y que nos lleva a tener roces con las personas que nos rodean.

Esta forma de vida nos orilla a la pérdida de la sensatez y amabilidad que caracterizaban a nuestros abuelos. Hemos llegado a desconocer la importancia del valor de la paciencia, que al abandonar nuestra existencia nos permite acercarnos cada vez más al borde de la neurosis crónica y la deshumanización.

La paciencia es el valor que nos permite tolerar, comprende, padecer y soportar los contratiempos, impertinencias y problemas con fortaleza; nos ayuda a actuar de acuerdo a la circunstancias, aclarando nuestra mente para moderar nuestras palabras y conducta ante los problemas. Seguramente nos encontramos a diario con una persona que nos hace reflexionar los alcances de nuestra tolerancia, pero sin la paciencia, seguramente acabaríamos teniendo un serio altercado con esa persona y las consecuencias derivadas del asunto nos pesarían días después del hecho.

Otra faceta de la paciencia es la que nos permite no rendirnos ante una meta determinada, cuántos de nosotros no hemos decidido bajar de peso o cambiar nuestros hábitos de trabajo, pero a los dos o tres días nos desesperamos y abandonamos nuestros buenos propósitos debido a que nos faltó paciencia. Imagine el ejemplo que brinda a los integrantes de su familia cuando abandona una meta a la mitad. Un claro ejemplo de paciencia es el hábito del ahorro, seguramente

Tenga paciencia a sus hijos, ellos se lo agradecerán.

ha pensado en ahorrar para realizar algunas mejoras en su casa o llevar de vacaciones a su familia, pero pasan los meses y la cuenta no crece como usted quisiera, y decide abandonar el proyecto debido a que ya no tiene paciencia para seguir intentando.

Otra actividad que seguramente requiere de toda nuestra paciencia es la educación de nuestros hijos, pues como niños son inquietos y curiosos, por tanto, se meten en cualquier cantidad de problemas o realizan un sinnúmero de travesuras, y nos desespera que no sean más tranquilos o conscientes, pero se nos olvida que también fuimos niños y que es natural que se comporten de esa manera, de hecho, es casi su obligación. Así que trate de ser paciente y no se convierta en un ogro para ellos o para su pareja. Tome todo con calma y ponga el ejemplo de lo que es ser paciente.

La paciencia es la fortaleza del débil y la impaciencia, la debilidad del fuerte.
Immanuel Kant

La paciencia en un momento de enojo evitará cien días de dolor.
Proverbio tibetano

La paciencia comienza con lágrimas y, al fin, sonríe.
Ramón Llull

Ten paciencia con todas las cosas, pero sobre todo contigo mismo.

San Francisco de Sales

El dinero lo ganan todos aquellos que con paciencia y fina observación van detrás de los que lo pierden.

Benito Pérez Galdós

Ten paciencia corazón, que es mejor, a lo que veo deseo sin posesión que posesión sin deseo.

Ramakrsina

Todo poder humano se forma de paciencia y de tiempo.

Ralph Waldo Emerson

No hay auténtico genio sin paciencia.

L. C. Alfred de Musset

La paciencia es una virtud calumniada, quizá porque es la más difícil de poner en práctica.

Sigrid Undset

¿Cuál será la diferencia entre tener paciencia para nada y perder el tiempo?

Pablo Neruda

Quien tiene paciencia, obtendrá lo que desea.

Benjamin Franklin

Sólo triunfa en la lucha por la vida aquél que tiene la paciencia en sus buenos propósitos e intenciones.
Proverbio árabe

La tolerancia y la paciencia son mucho más profundas y efectivas que la mera indiferencia.
Dalai Lama

La paciencia es amarga, pero sus frutos son dulces.
Jean Jacques Rousseau

Paciencia: forma menor de desesperación disfrazada de virtud.
Ambrose Bierce

A los que tienen paciencia, las pérdidas se les convierten en ganancias, los trabajos en merecimientos y las batallas en coronas.
Fray Luis De Granada

La paciencia es la llave del paraíso.
Proverbio turco

Una hora de paciencia vale más que un día de ayuno.
Don Bosco

A lo que no puede ser, paciencia.
Refrán

La paciencia tiene más poder que la fuerza.
Plutarco

A cualquier dolencia, es remedio la paciencia.
Refrán

Paciencia muchas veces ofendida trastorna el juicio.
Séneca

Si he hecho descubrimientos invaluables ha sido más por tener paciencia que cualquier otro talento.
Isaac Newton

Al que la razón no pudo dar remedio, muchas veces se lo dio la paciencia.
Séneca

Hay que tener la paciencia como compañera inseparable.
Don Bosco

La paciencia es buena ciencia.
Refrán

El pescar con caña, requiere paciencia y maña.
Refrán

La paciencia y el tiempo hacen más que la fuerza y la violencia.
Jean de la Fontaine

La paciencia es la más heroica de las virtudes, precisamente porque carece de toda apariencia de heroísmo.

Giacomo Leopardi

Un puñado de paciencia vale más que un balde de sesos.

Anónimo

Tengamos paciencia con nosotros mismos: y que nuestra porción superior soporte el trastorno de nuestra parte inferior.

San Agustín

Nada resulta más atractivo en un hombre que su cortesía, su paciencia y su tolerancia.

Marco Tulio Cicerón

Humildad y paciencia, ambas van por una senda.

Refrán

Sólo con una ardiente paciencia conquistaremos la espléndida ciudad que dará luz, justicia y dignidad a todos los hombres. Así la poesía no habrá cantado en vano.

Pablo Neruda

La Ilusión despierta el empeño y solamente la paciencia lo termina.

Anónimo

Cuando fuiste martillo no tuviste clemencia, ahora que eres yunque, ten paciencia.

Refrán

En el marido prudencia, en la mujer paciencia.

Refrán

Para trabajar con éxito, téngase caridad en el corazón y paciencia en la ejecución.

Don Bosco

Es sabiduría de la vida el soportar con paciencia y perdonar

De *Las mil y una noches*

El oro en manos de un poeta y la paciencia en el alma de un amante son como agua en criba.

De *Las mil y una noches*

Es mejor cojear por el camino que avanzar a grandes pasos fuera de él. Pues quien cojea en el camino, aunque avance poco, se acerca a la meta, mientras que quien va fuera de él, cuanto más corre, más se aleja.

San Agustín

El que sube una escalera debe empezar por el primer peldaño.

Walter Scott

El mejor fuego no es el que se enciende rápidamente.

George Eliot

El genio puede concebir, pero la labor paciente debe consumar.

Horace Mann

Capítulo 14:
Prudencia

La prudencia es un valor que nos permite actuar con mayor conciencia ante las adversidades diarias de la vida. Caracteriza a las personas sabias y ecuánimes, pues son aquellas que toman decisiones correctas en el momento adecuado, logrando con éxito todo cuanto se proponen y muestran una total serenidad cuando las situaciones son más apremiantes.

La forma en que se aplica la prudencia es por medio de la rigurosa reflexión y efectos que pueden desencadenar nuestras palabras y acciones. Múltiples factores nos acosan todos los días para que tomemos decisiones erróneas (emociones, mal humor, percepciones equivocadas y la falta de información necesaria), dando la impresión de ser imprudentes.

La imprudencia acarrea severas consecuencias en todos los aspectos de nuestra vida, ya sea en lo personal o en lo colectivo. Actuar de esta manera nos lleva a lastimar a los que nos rodean, a vivir con preocupaciones, reprender con crueldad los errores ajenos, ser antipáticos y hacerles la vida imposible a quienes nos rodean son conductas que resultan nocivas para todos, principalmente para quien las realiza.

Debemos esforzarnos en fomentar la prudencia en nuestras vidas. ¿Cuántas personas están en la cárcel en estos momentos por no haberse detenido un instante a reflexionar acerca de su siguiente paso?

Ser prudentes no significa que no levantemos la voz cuando algo nos incomoda o lo consideramos incorrecto, más bien significa que cuando lo hagamos sea con pleno dominio de nuestro ser, sin ser orillados a hacerlo por el calor del momento o un arrebato, haciendo gala de nuestro razonamiento y sabiduría. Esto no nos asegura que siempre

La prudencia dice que también los valientes corren.

estaremos en lo correcto, ya que somos humanos y errar es parte de nuestro aprendizaje y desarrollo, sino que cuando nos equivoquemos seamos lo bastante humildes para saber ofrecer una disculpa y un consejo.

Las mejores decisiones provienen de la experiencia, y todo lo que vivimos a diario nos permite aprender lo suficiente para evaluar cada una de nuestras acciones y predecir dentro de lo posible los derroteros a los que nos conducirán. La prudencia será la guía para transitar por los caminos de la vida de manera más segura, convirtiéndonos en individuos más íntegros y perseverantes, con gran capacidad para comprometernos por el bien propio y común.

💡 *Es cordura provechosa ahorrarse disgustos. La prudencia evita muchos.*
Baltasar Gracián

💡 *La sabiduría y la prudencia de nada sirven si no se presenta una ocasión propicia; los buenos arados nada pueden por sí solos, si no se presenta una estación favorable.*
Confucio

💡 *Hay que emplear mucha prudencia al formarnos nuestras opiniones y más todavía al cambiarlas.*
Josh Billings

💡 *...apelando a la prudencia según ese libro de la cobardía cuyo autor se llama sentido común.*
Oscar Wilde

La prudencia es la base de la felicidad.
Sófocles

Tanta prudencia se necesita para gobernar un imperio, como una casa.
Friedrich Engels

La prudencia es el más excelso de todos los bienes.
Epicuro

Hay momentos en que la audacia es prudencia.
Clarence S. Darrow

La prudencia es la madre de la tranquilidad.
Francisco Rubio

Mezcla a tu prudencia un grano de locura.
Quinto Horacio Flaco

Al jugar al ajedrez entonces, podemos aprender: Primero, previsión... Segundo, prudencia... Tercero, cautela... Y al final, aprendemos del ajedrez el hábito de no ser desanimados por apariencias malas presentes en el estado de nuestros asuntos, el hábito de la esperanza por una oportunidad favorable y la perseverancia de los secretos de los recursos.
Benjamín Franklin

La vanidad hace siempre traición a nuestra prudencia y aún a nuestro interés.
Jacinto Benavente

La única forma posible de que perduren valores tales como la confianza y la prudencia, es a través de un estrecho contacto.

Winston Churchill

La libertad obliga a la prudencia: los mutuos deberes al respeto.

José Marti

Hay pasiones que la prudencia enciende y que no existirían sin el riesgo que provocan.

J. Amédée Barbey d'Aurevilly

Es prudente no fiarse por entero de quienes nos han engañado una vez.

René Descartes

En el marido prudencia, en la mujer paciencia.

Refrán

Las penas y privaciones agudizan la inteligencia y fortalecen la prudencia.

Confucio

El valor es hijo de la prudencia, no de la temeridad.

Pedro Calderón de la Barca

No discutas con el hombre poderoso, no sea que caigas en sus manos. No tengas pleito con el hombre rico, no sea que te oponga su peso. Pues el oro eliminó a muchos y corrompió hasta la conciencia de los reyes.

No disputes con el hombre hablador, sería echar leña a su fuego. No bromees con el hombre grosero, no sea que ofenda a tus padres. No humilles al pecador arrepentido, ¡recuerda que todos somos pecadores! No desprecies la doctrina de los sabios, aplícate más bien a sus preceptos. Con ellos aprenderás a vivir, y también a servir a los grandes. No deseches las lecciones de los ancianos, que ellos las aprendieron de sus padres. Ellas te abrirán el entendimiento y podrás responder en el momento preciso. No te justifiques ante un hombre sobrado; se valdría contra ti de tus propias palabras. No prestes al más fuerte que tú; si le has prestado, dalo por perdido. No te comprometas más allá de lo que puedes, que si lo haces tendrás que pagar. No entres en pleito con un juez, que por su calidad de tal ganará el pleito. No camines junto al temerario no sea que te resulte pesado, pues él obrará según su antojo y perecerás también por su locura. No disputes con el hombre violento ni te alejes con él por lugares solitarios; para él la sangre no importa nada y, en cuanto te vea indefenso, se echará sobre ti. No tengas consejo con el necio, porque no podrá callar lo que hayas dicho. No hagas nada secreto ante un extraño, porque no sabes cómo reaccionará. No descubras a cualquiera tus pensamientos; no sabría agradecértelo.

Sagradas escrituras

El miedo es una fuente de prudencia.

Templario

A causa perdida, mucha palabrería.

Refrán

💡 *El mismo martillo que rompe el cristal forja el acero.*
Proverbio ruso

💡 *No lo hagas si no conviene. No lo digas si no es verdad.*
Marco Aurelio

💡 *No hables mal del puente hasta haber cruzado el río.*
Proverbio

💡 *Nadie prueba la profundidad del río con ambos pies.*
Proverbio

💡 *No des la felicidad de muchos años por el riesgo de una hora.*
Tito Livio

💡 *La imprudencia suele preceder a la calamidad.*
Apiano

💡 *Carta echada, no puede ser retirada.*
Refrán

💡 *Sé prudente. Lo mejor en todo es escoger la ocasión.*
Hesíodo

Capítulo 15:
Servicio

Adoptar una permanente actitud de ayuda o colaboración hacia los demás y de manera espontanea nos refleja que poseemos el valor del servicio, y una persona servicial es capaz de llevar esa actitud a todos los aspectos de su vida, haciendo su vida y la de los demás más ligera y llena de alegría.

Seguramente a usted le ha pasado que cuando necesita ayuda para cambiar una llanta, empujar su auto, cargar cosas pesadas, aparece una persona que le brinda su tiempo y esfuerzo para que usted pudiera salir del problema en que se encontraba. Muchas de estas personas no se esperan a recibir una recompensa o una palabra de agradecimiento, sino que se sienten recompensadas al saber que cumplieron con su obligación moral.

Una persona que es servicial no vive con miedo al pensar que todos los que lo rodean le harán cosas todo el tiempo, delegándole parte de sus obligaciones debido a su predisposición de ayudar; tampoco se siente débil como para negarse, sabe decir "no" cuando es necesario y para evitar que abusen de su buena fe.

Es frecuente que cuando estamos descansando o haciendo algo, seamos requeridos para alguna otra tarea, lo cual nos provoca molestia y nos ponemos de mal humor; sin embargo, ser servicial nos permite cambiar estos pensamientos y estado de ánimo para cumplir nuestra labor. Debemos comprender que no todo en esta vida es recibir, también tenemos que dar y afrontar nuestras responsabilidades.

Debemos evitar que cuando estemos prestando algún servicio, lo hagamos de manera deficiente y de mal humor, pues es señal de pereza o apatía. La satisfacción de saber que cumplimos con nuestro deber es suficiente para vencer todas las incomodidades que nos presenta la tarea y nunca hacerlo por interés o conveniencia, pues dejaría de ser servicio para

Una cosa es servicial y otra es ser servil.

convertirse en servilismo, que es una actitud sumamente desagradable. Veamos por ejemplo a los vendedores, ellos realizan su labor que es atendernos para lograr una venta; sin embargo, muchos de ellos se muestran serviles con la esperanza de agradar utilizando palabras como patrón o jefe, y es en ese momento cuando empezamos a desconfiar de ellos pues están siendo serviles.

Si esperamos recibir atenciones de los demás, debemos empezar por tenerlas con ellos, mostremos iniciativa y generosidad para vivir la solidaridad en familia. Haga por los demás lo que le gustaría que hicieran por usted. Ponga el ejemplo y con eso logrará más que con las palabras.

Si queremos un mundo de paz y de justicia hay que poner decididamente la inteligencia al servicio del amor.

Antoine de Saint Exupery

Lo menos que podemos hacer, en servicio de algo, es comprenderlo.

José Ortega y Gasset

Antídoto para el aburrimiento es la acción emocionante del servicio. Un aburrido no es quien puede, sino quien quiere.

Alicia Beatriz Angélica Araujo

Ayuda a tus semejantes a levantar su carga, pero no te consideres obligado a llevársela.

Pitágoras

Es fácil ver cómo donde hay sacrificios, alguien los está recogiendo. Donde hay servicio, alguien está sido servido. El hombre que te habla de sacrificios está hablando de esclavos y amos, e intenta ser el amo.

Ayn Rand

El mejor servicio que podemos prestar a los afligidos no es quitarles la carga, sino infundirles la necesaria energía para sobrellevarla.

Phillips Brooks

El que no sirve para servir, no sirve para vivir.

Madre Teresa de Calcuta

Una maravillosa energía proviene cuando se ayuda a alguien.

Mary Lou Cook

Quien ama a los hombres afianza a los hombres, pues él mismo desea ser afianzado; ayuda a los hombres a lograr éxito, pues él mismo desea lograr éxito.

Confucio

Ayuda al niño que te necesita, ese niño será socio de tu hijo. Ayuda a los viejos, y los jóvenes te ayudarán cuando lo seas. Además, el servicio es una felicidad segura, como gozar a la naturaleza y cuidarla para el que vendrá. Da sin medida y te darán sin medidas.

Facundo Cabral

Hombre mezquino, no pida ayuda a su vecino.
Refrán

Ni con lisonja, ni con la mentira, ni con el alboroto se ayuda verdaderamente a una obra justa.
José Marti

Un grano no hace granero, pero ayuda a su compañero.
Refrán

El que pudiendo no favorece al que está en peligro, ayuda a matarlo.
Séneca

Dios no habría alcanzado nunca al gran público sin ayuda del diablo.
Jean Cocteau

Dios no manda cosas imposibles, sino que, al mandar lo que manda, te invita a hacer lo que puedas y pedir lo que no puedas y te ayuda para que puedas.
San Agustín

Empieza cada día con una sonrisa y mantenla todo el día.
W. C. Fields

Recordar, siempre se necesita una mano que ayude, ellas están en el extremo de tus brazos. Mientras nos *vamos haciendo más viejos, ellas nos recuerdan que una mano es para que te ayuden y la otra para ayudar.*

Audrey Hepburn

Un hombre digno debe ayudar a los necesitados, pero no aumentar los bienes de los ricos.

Confucio

Rara vez se presentan grandes oportunidades de ayudar a otros, pero las pequeñas nos rodean todos los días

Sally Koch.

Capítulo 16:
El perdón

En algunos momentos la amistad o la convivencia se fracturan por causas diversas como las peleas y las rupturas, dando inicio a sentimientos negativos como la envidia, el rencor, el odio y el deseo de venganza. En estos momentos, las personas pierden su tranquilidad y paz interior, y los que están a su alrededor sufren las consecuencias de su mal humor y la falta de comprensión.

Los resentimientos nos impiden vivir plenamente, así que es necesario pasar por alto los detalles pequeños que nos incomodan, de esta manera lograremos la alegría en el trato cotidiano en la familia, la escuela o la oficina. Es más, debemos evitar que estos sentimientos de rencor nos invadan, ya que es necesario perdonar a quienes nos han ofendido, disculpando sus faltas.

A veces podemos sentirnos heridos por acciones o actitudes de los demás, pero también en ocasiones nos sentimos lastimados sin una razón concreta, por insignificancias que hieren nuestro amor propio.

Es en estos momentos cuando la imaginación o el egoísmo pueden convertirse en causa de nuestros resentimientos. Cuando interpretamos de manera equivocada una mirada o la sonrisa; cuando nos molestamos por el tono de voz de una respuesta que recibimos, que a nuestro parecer fue indiferente o molesta o cuando recibimos un trato que consideramos injusto.

Una mala apreciación puede ocasionar un problema en nuestro interior, y juzgamos a quienes, en realidad, no querían lastimarnos. Así que debemos tener en cuenta que hay conductas que, al ponerlas en práctica, construimos herramientas para saber perdonar. Siga los siguientes consejos para evitar los malos entendidos:

> 📖 Evitar "interpretar" las actitudes.
>
> 📖 No debemos realizar juicios sin antes preguntarnos el "por qué" nos sentimos agredidos o lastimados.

Si ese malentendido se originó en nuestro interior solamente, no hay que seguir lastimándonos con pensamientos negativos, ya que nos lamentaremos cuando descubramos que no había motivo de disgusto... entonces, nosotros deberemos pedir perdón.

El perdón fortalece al corazón, y le otorga mayor capacidad de amar, así que si perdonamos sinceramente, podemos comprender las faltas de los demás, ayudándoles a corregirlas. Algunas veces, los sentimientos negativos (resentimiento, rencor, odio o venganza) pueden ser mutuos debido a un malentendido. En este caso, encontramos a familias que están sumergidas en odios injustificados: "Nosotros no perdonamos porque los otros no perdonan". Es necesario romper ese esquema. Debemos entender que una actitud humilde de perdón, siempre logran restablecer la armonía.

Debemos tener en claro que una sociedad, una familia o un individuo lleno de resentimientos impiden el desarrollo hacia una esfera más alta. Perdonar resulta más sencillo de lo que parece, sólo debemos buscar la manera de lograr y mantener una convivencia sana, y en la importancia que le damos a los demás como personas y de no dejarnos llevar por aquellos sentimientos negativos.

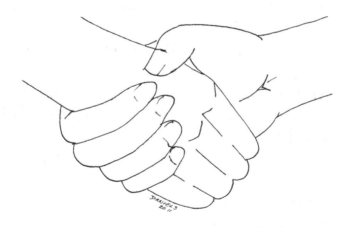

El perdón es una decisión, no un sentimiento, porque cuando perdonamos no sentimos más la ofensa, no sentimos más rencor. Perdona, que perdonando tendrás en paz tu alma y la tendrá el que te ofendió.
Madre Teresa de Calcuta

Perdona a todos y perdónate a ti mismo, no hay liberación más grande que el perdón; no hay nada como vivir sin enemigos. Nada peor para la cabeza, y por lo tanto para el cuerpo, que el miedo, la culpa, el resentimiento y la crítica (agotadora y vana tarea), que te hace juez y cómplice de lo que te disgusta.
Facundo Cabral

El perdón es la fragancia que derrama la violeta en el talón que la aplastó.
Mark Twain

El perdón cae como lluvia suave desde el cielo a la tierra. Es dos veces bendito; bendice al que lo da y al que lo recibe.
William Shakespeare

Perdonar no es olvidar, y en el perdón sin olvido sobran palabras y falta corazón.
Proverbio alemán

El perdón siempre contiene justicia. Aunque no sea justo.
José Narosky

Nada envalentona tanto al pecador como el perdón.
William Shakespeare

Yo no hablo de venganzas ni perdones, el olvido es la única venganza y el único perdón.
Jorge Luis Borges

Lo mejor que puedes dar a tu enemigo es el perdón; a un oponente, tolerancia; a un hijo, un buen ejemplo; a tu padre, deferencia; a tu madre, una conducta de la cual se enorgullezca; a ti mismo, respeto; a todos los hombres, caridad.
John Balfour

No hay paz sin justicia, no hay justicia sin perdón.
Juan Pablo II

... por ley de historia, un perdón puede ser un error, pero una venganza es siempre una infelicidad. La conciliación es la ventura de los pueblos.
José Marti

El que roba a un ladrón tiene cien años de perdón.
Refrán

A mucho amor, mucho perdón.
Refrán

El corazón de una madre es un abismo profundo en cuyo fondo siempre encontrarás perdón.
Honoré De Balzac

Lo que más odio es que me pidan perdón antes de pisarme.

Woody Allen

Las lágrimas no piden perdón, lo merecen.

San Ambrosio

A falta de perdón, deja venir el olvido.

L. C. Alfred De Musset

Virtuosa cosa es perdonar a quien se arrepiente.

Séneca

La espiral de la violencia sólo la frena el milagro del perdón.

Juan Pablo II

No olvides que el perdón, es lo divino. Y rara vez suele ser humano.

Fito Paez

No es más fuerte el que lucha con orgullo, que el que deja de hacerlo pidiendo perdón.

Javier Medina Ardila

Indaga en tu corazón en busca de las injusticias que aún recuerdas, perdónalas y deja que se vayan.

Louise Hay

💡 *Todo le es perdonado a quien no se perdona nada a sí mismo.*

Confucio

💡 *Perdona a todos tus enemigos, pero no olvides sus nombres.*

John F. Kennedy

💡 *Cuando perdonamos nos hacemos superiores a nosotros mismos.*

Doménico Cieri Estrada

💡 *Quien perdona todo ha debido perdonarse todo.*

Antonio Porchia

💡 *Solemos perdonar a los que nos aburren, pero no perdonamos a los que aburrimos.*

François de la Rochefoucauld

💡 *Perdonamos a los grandes del mundo porque han muerto; pero en vida son imperdonables.*

Lin Yutang

💡 *No hace falta saber cómo perdonar. Basta estar dispuesto a hacerlo, del cómo ya se ocupará el universo.*

Louise Hay

💡 *El que es incapaz de perdonar es incapaz de amar.*

Martin Luther King

💡 *Quien no perdona a tiempo, sufre un tiempo.*
Doménico Cieri Estrada

💡 *Dios es justo siempre, aún cuando nos perdona.*
Napoleón Bonaparte

💡 *Súfrase, y no se reprenda lo que excusar no se puede.*
Séneca

💡 *Perdonar supone siempre un poco de olvido, un poco de desprecio y un mucho de comodidad.*
Jacinto Benavente

💡 *Perdonar es vencer.*
José Marti

💡 *El que se excusa, se acusa.*
Refrán

💡 *Perdónaselo todo a quien nada se perdona a sí mismo.*
Confucio

Capítulo 17:
Cinco consejos para desarrollar los valores

1. CONOZCA SU IMPORTANCIA

El primer paso para vivir los valores es tener la conciencia de su importancia. Una sociedad basada en individuos con valores es la llave para una convivencia más sana. Las leyes no son suficientes, ya que en ellas se establece lo elemental para lograr una convivencia insipientemente decente; sin embargo, no es suficiente cumplir la ley. Los valores van mucho más allá.

Lo mismo ocurre en otros ámbitos de la vida. La ley establece penas a los crímenes, pero no nos dice que tratar con educación a los demás nos ayuda a convivir mejor. Para vivir los valores, debemos estar conscientes de que son vitales, y que podrían cambiar verdaderamente a una persona, una familia o una nación.

2. Analice su conjunto de valores

Cuando se ha aceptado la necesidad de vivir los valores, debemos analizar qué valores son la base de nuestra vida (los que ya tiene, y los que quiere construir). Se debe hacer un esfuerzo y meditar cuáles son aquellos principios, normas y comportamientos que son imprescindibles para ser y vivir mejor.

Acomódese en un lugar tranquilo, y en una hoja de papel, ponga la fecha y trace dos líneas verticales que dividan la página creando tres columnas. En la primera columna, va a escribir una lista con los valores más importantes para usted, sin importar el orden. En la columna central, va a realizar una lista con los valores que aprendió desde niño en casa, con la vida y los más recientes pero que no suele vivirlos.

Una vez terminado, en la columna de la derecha, dibuje un triángulo y escriba en cada vértice: Mis Fortalezas, Mis debilidades, Lo que quiero ser. Ahí hará tres listas, y escribirá aquellos valores que ya posee y que le definen como una persona especial. En "Mis debilidades" escribirá los defectos que ya conoce, y que le impiden vivir de mejor manera los valores. Y ya por último, escriba los valores que desearía vivir en "Lo que quiero ser". Guarde esta hoja, es de suma importancia, ya que corresponde a los siguientes pasos de estos consejos.

3. El plan

Ya conoce sus valores, debilidades y lo que quiere llegar a ser, así que ha llegado el momento de usar una agenda. Cualquiera puede ser útil (una de escritorio, de bolsillo). Tome otra hoja, y establezca tres bases de tiempo: anual, mensual y diaria. En anual escribirá lo que desea lograr en un año. Piense en los valores concretos que quieres alcanzar de esta lista, divídala en una base de tiempo mensual, dedicando un mes para cada actividad. En tiempo por día establecerá una lista de "Lo que vivo y debo reforzar" y otra de "Lo que me falta".

En la agenda, establezca una meta diaria de los valores a reforzar y vivir. Una meta diaria puede ser llamar por teléfono a un amigo para fortalecer el valor de la amistad. Hágalo el primer mes. Cada mes, debe revisar su plan, actualizarlo y hacer una anotación sobre los resultados.

Si no le fue muy bien en un mes determinado, no se preocupe, vuelva a someterlo en su plan diario y analice por qué no pudo cumplirlo. Reflexione en los motivos que no le permitieron cumplir sus metas y establezca medios para que esto no vuelva a ocurrir.

4. El examen diario

En un rato que tenga en el día, tómese 10 minutos para reflexionar, piense cómo le ha ido en el día, y si está cumpliendo sus metas diarias, lo qué le falta por realizar y lo que ya ha logrado. Este examen es vital, por tanto, debe realizarlo diario o todo se irá perdiendo hasta que se olvide de sus propósitos. El examen le permite analizar de manera realista cómo van los resultados y propósitos concretos para mejorar y vivir sus valores.

5. MANTENIMIENTO

Revise sus valores cada mes, y vea cuánto ha aprendido, piense en los resultados de sus exámenes diarios. ¿Ha habido un avance? Debe mostrar constancia para obtener resultados. Si realmente quiere vivir los valores, debe hacerse el propósito.

Índice

TÍTULOS DE ESTA COLECCIÓN

Guía de valores para niños.

Juan Pablo Morales

Guía de valores para la familia.

Juan Pablo Morales

Guía para el éxito con valores.

Juan Pablo Morales

Impreso en los talleres de
MUJICA IMPRESOR, S.A. DE C.V.
Calle Camelia No. 4, Col. El Manto,
Deleg. Iztapalapa, México, D.F.
Tel: 5686-3101.